Cuisiner au
barbecue

Cuisiner au
barbecue

Matthew Drennan

photographies de Chris Alack

HACHETTE

Édition originale
Première publication en 2001 par MQ Publications Ltd.
Unit 12, The Ivories, 6-8 Northampton Street,
Londres N1 2 HY
Titre original : Weber's ultimate barbecue book
Copyright © Weber-Stephen Products Co, 2001
Copyright © Marc Dando, 2001 pour les illustrations

Édition française
Traduction : Initiales
Adaptation et Réalisation : Initiales
Couverture : Nicole Dassonville
Copyright © 2002 Hachette Livre (Hachette Pratique)
pour l'édition en langue française
Dépôt légal : 25550- février 2003
23.27.6776.1/01
ISBN : 2.012.36776.3
Imprimé en France par Partenaires

Sommaire

Avant-propos

Au travers de ce livre de cuisine, nous avons voulu vous proposer des recettes et des plats qui s'inspirent des parfums et des ingrédients de la cuisine européenne comme de contrées plus lointaines. Cet ouvrage, unique en son genre, vous dévoile des mets à base de viandes, de volailles et de poissons, ainsi que des plats typiques. Les recettes ont été conçues par une équipe de cuisiniers et de spécialistes du barbecue. Toutes ont fait l'objet de tests scrupuleux. On retrouve ainsi les cuisines traditionnelles, mais également la cuisine exotique aux mille parfums d'Afrique et d'Asie, aujourd'hui largement répandue en France.

Chaque recette combine des méthodes de cuisson au gril et des ingrédients frais pour exprimer toute la subtilité des saveurs.

Nous avons imaginé des recettes se prêtant à toutes les situations et à tous les appétits. Cet ouvrage célèbre ainsi tous les types de plats avec la même attention. Vous pourrez, selon votre humeur ou vos besoins, préparer un somptueux banquet de quatre plats, un dîner aux chandelles, ou bien concocter un déjeuner sur le pouce en famille.

Combinant recettes familiales et préparations sophistiquées, cet ouvrage vous donnera, nous l'espérons, envie de les tester et vous encouragera

à employer votre barbecue aussi souvent
que possible. Quelle que soit la recette
choisie ou l'astuce mise en pratique,
il vous aidera invariablement à préparer
de sympathiques repas d'extérieur,
en famille ou entre amis.

Bon appétit !

Mike Kempter

Mike Kempter
Vice-président exécutif
Weber-Stephen Products Co.

introduction

Saine, simple et goûteuse, la cuisine au barbecue fait aujourd'hui partie de nos habitudes alimentaires. Barbecue d'intérieur ou d'extérieur, ce mode de cuisson est un moyen facile de se détendre et de partager de bons moments, « sans tralala ». Pensez simplement aux effluves délicats des herbes de Provence sur l'agneau croustillant ; aux couleurs appétissantes des tomates grillées et vous savourez déjà une douce soirée d'été …

Vous trouverez dans cet ouvrage de bonnes idées pour accompagner vos brochettes, merguez et poissons, mais vous découvrirez également que la cuisine au barbecue permet de cuisiner une grande variété de mets de multiples façons.

N'oubliez pas, toutefois, que le secret d'un barbecue réussi tient au matériel employé. Lorsque l'on cuisine sur un foyer ouvert, non seulement le temps de cuisson s'allonge, mais l'essentiel des jus et parfums s'évapore. On pourrait dire que cuisiner sur un foyer ouvert revient à cuire un gâteau sans fermer la porte du four. Un foyer fermé évite cette dégradation, fait circuler la chaleur et réduit notablement les temps de cuisson. Il donne également aux mets un délicieux fumet que l'on peut même obtenir avec un barbecue au gaz.

Et maintenant quel type de cuisson choisir : au gaz ou au charbon ? Des tests à l'aveugle ont montré que la plupart des gens ne parviennent pas à distinguer l'un de l'autre. Ces modes de cuisson présentent tous deux des avantages incontestables. Certains apprécient l'aspect quasi artisanal de la préparation du foyer d'un barbecue au charbon, tandis que d'autres lui préfèrent la propreté et la rapidité de mise en œuvre d'un barbecue au gaz. En tout cas, cet ouvrage qui aborde ces deux modes de cuisson vous permettra d'atteindre un résultat à la hauteur de vos espérances. Et c'est bien là l'essentiel ! Toutes les recettes présentées ici ont été créées et testées avec des barbecues au gaz et au charbon. Elles sont aussi bonnes les unes que les autres et sont cuisinées au gaz comme au charbon, à feu direct ou indirect. La cuisson directe signifie que l'on pose l'aliment directement sur la source de chaleur, tandis que la cuisson indirecte implique de disposer l'aliment entre les sources de chaleur, laquelle tourne dans le foyer du barbecue, à l'instar des fours à convection.

Le chapitre « Quelques conseils de base » vous explique comment installer votre barbecue, qu'il fonctionne au gaz ou au charbon, comment allumer et contrôler le feu en toute sécurité, conserver la grille en parfait état et mener à bien les techniques de fumage, en employant le matériel adéquat. Ensuite, chaque recette est accompagnée de conseils et de bonnes idées afin de tirer le meilleur parti de votre barbecue, et de vous régaler en toute simplicité !

Difficulté des recettes

Indication	Niveau de difficulté
✳	Simple
✳ ✳	Modéré
✳ ✳ ✳	Compliqué

Quelques conseils
de base

Vous trouverez dans ce chapitre des conseils pour préparer,
allumer et utiliser votre barbecue, qu'il fonctionne au charbon
ou au gaz. Les méthodes de cuisson (directe ou indirecte) sont
décrites dans le détail, en vous laissant le choix de celle qui
vous convient le mieux. Les consignes de cuisson et de
sécurité, les accessoires indispensables et toutes les astuces
à connaître sont réunis pour vous permettre de tirer le meilleur
parti de votre barbecue en réalisant une cuisine simple et
amusante. De nombreuses recettes sont accompagnées de
marinades, de mélanges d'épices et de beurre parfumés.
Pouvant être préparés à l'avance, ils transformeront en
un clin d'œil une grillade en un mets savoureux et coloré !
Bref, la cuisine au barbecue, c'est facile, amusant et délicieux.
Ne tardons plus et entrons dans le vif du sujet !

Barbecue au charbon

Le secret de la cuisson au charbon tient à l'usage fait du couvercle et au système de diffusion de l'air. Deux méthodes de disposition du charbon complètent ces facteurs. C'est précisément l'air froid réparti dans le foyer qui fournit au foyer l'oxygène nécessaire à l'entretien du feu. L'air chauffe, monte et se réfléchit sur le couvercle, de manière à embrasser l'aliment en cours de cuisson. Un barbecue fermé cuit de la même manière qu'un four à convection, ce qui le rend particulièrement adapté aux rôtis et aux volailles, en plus des steaks et saucisses classiques.

Souvenez-vous que la température est toujours supérieure au début de la cuisson et redescend ensuite progressivement à mesure que les galets de charbon se consument. Dans le cas d'une cuisson indirecte, ajouter régulièrement du charbon permettra de maintenir une température de cuisson constante (voir tableau de la page 17).

Comment allumer un barbecue au charbon ?

1 Retirez le couvercle et ouvrez tous les aérateurs avant de constituer le foyer.

2 Versez le charbon sur la grille située dans la partie inférieure du barbecue de manière à former un petit monticule au centre.

3 Disposez 4 ou 5 briquettes d'allume-feu (voir **figure 1**).

4 Allumez les briquettes et laissez le charbon s'embraser (**figure 2**) jusqu'à ce qu'il forme une cendre grisâtre incandescente. Ce processus prend entre 25 et 30 minutes. Vous pouvez également employer un démarreur de cheminée (voir la note en page 13). À l'aide d'une pince, répartissez le charbon en fonction de la méthode de cuisson que vous allez employer, directe ou indirecte. Pour finir, disposez la grille de cuisson au-dessus du charbon. Votre barbecue est maintenant prêt (**figure 3**).

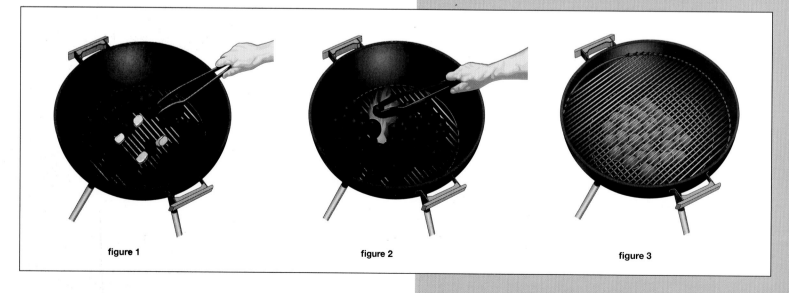

figure 1   figure 2   figure 3

Agents d'allumage

■ **Allume-feu.** Cet agent d'allumage se présente généralement sous la forme de cubes ou de barres. Il permet d'allumer un barbecue sans danger ni odeur pouvant imprégner la nourriture. Disposez quatre ou cinq éléments dans la cuve et allumez-les à l'aide d'une longue allumette. Simple d'emploi, sûr et propre, employez uniquement un allume-feu prévu pour le barbecue.

■ **Liquide d'allumage.** Si vous employez ce type de produit, prenez garde à ne pas vous brûler. Évitez notamment les projections. Commencez par imprégner les galets à l'aide du liquide, patientez quelques instants et allumez le feu à l'aide d'une longue allumette. N'aspergez jamais les galets lorsqu'ils sont incandescents, vous risqueriez de vous brûler gravement.

Démarreur de cheminée

*Il s'agit d'une boîte en métal équipée d'une poignée dans laquelle on vient disposer les galets de charbon à brûler. Du papier chiffonné ou des allume-feu sont placés sur la grille, les galets par dessus. Les parois de l'instrument permettent d'orienter les flammes et la chaleur directement sur le charbon ce qui induit une réduction sensible du temps de chauffage du combustible. Lorsque le charbon est prêt, il ne reste plus qu'à verser les galets incandescents dans la cuve et à les organiser comme le montrent les **figures 5 et 8**.*

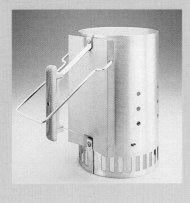

Cuisson directe

Cette méthode de cuisson est particulièrement adaptée aux viandes, côtelettes, kebabs, saucisses et aux légumes dont le temps de cuisson est inférieur à 25 minutes. Souvenez-vous que l'usage du couvercle est fortement recommandé.

1 Préparez et allumez le barbecue au charbon tel que cela vous est expliqué en page 12, puis répartissez le charbon en une couche uniformément répartie (voir **figure 5**).

2 Disposez la nourriture sur la grille de cuisson, fermez le couvercle et cuisez directement au-dessus de la source de chaleur (voir **figure 6**). La chaleur cuit la nourriture par en-dessous (voir **figure 4**). N'oubliez pas de la retourner à mi-cuisson.

Cuisson directe

figure 4

figure 5

figure 6

Cuisson indirecte

Cette méthode est recommandée pour les rôtis, les travers de porc, les volailles entières et autres préparations dont le temps de cuisson dépasse 25 minutes.

1 Préparez et allumez le barbecue à charbon tel que cela vous est expliqué en page 12, puis répartissez le charbon de chaque côté de la cuve en utilisant les rails ou les paniers afin de le stabiliser. Disposez la lèchefrite au centre de l'âtre entre les galets de charbon incandescent (voir **figure 8**). Par cette action, vous évitez d'exposer les aliments gras aux flambées du charbon. C'est également un moyen de recueillir le jus de cuisson et la sauce des mets.

2 Disposez les aliments au centre de la grille de cuisson, fermez le couvercle et cuisez de manière indirecte (voir **figure 9**). La chaleur se répartit autour des aliments, en se réfléchissant sur les surfaces de la cuve, ce qui permet une cuisson uniforme (voir **figure 7**). Ce principe est identique à celui d'un four à chaleur tournante. Il est donc inutile de retourner les aliments. Il conviendra d'ajouter des briquettes de charbon afin de maintenir une chaleur constante (référez-vous au tableau de la page 17).

Cuisson indirecte

figure 7

figure 8

figure 9

Un fumet subtil

Vous donnerez davantage de saveur à vos préparations au barbecue en employant des assaisonnements naturels ou confectionnés par vos soins directement sur les braises. Laisser mariner quelques temps certains ingrédients riches en saveur permet de créer de nouveaux arômes. Les graines comme la pomme, la cerise, l'érable, le noyer, le chêne ou les graines de pecan doivent être trempées dans de l'eau froide pendant environ 30 minutes avant d'être projetées sur les braises. Les saveurs naturelles comprennent également les tiges des herbes telles que le romarin, le laurier ou le thym ou encore la vigne. Déposez les tiges humides sur les braises avant de cuisiner. Nous vous suggérons aussi d'employer des noix, des amandes ou des coques de noisettes qui devront mariner pendant environ 30 minutes.

Combustion au charbon

Il existe plusieurs marques de charbon mais uniquement deux types qui sont les briquettes de charbon et des bûches. Le bois brûle plus vite mais offre une chaleur plus importante que les briquettes.

■ **Briquettes de charbon.** Elles sont constituées de particules de charbon mélangées avec un amidon liant. Elles brûlent plus longtemps que les morceaux de charbon traditionnels. Il existe deux types de briquettes. La plus grande est traditionnellement de forme carrée alors que les petites sont rondes. Elles se consument légèrement plus vite que les briquettes traditionnelles, comme vous le constaterez dans le tableau ci-contre. Il est intéressant de calculer le nombre de briquettes que vous utilisez. Vous saurez ainsi mieux doser votre consommation et déterminer le nombre de briquettes nécessaires en fonction du type de cuisson.

■ **Copeaux de charbon.** Il ne s'agit pas de combustible fossilisé extrait directement du sol comme le charbon, mais de morceaux de bois brulés dans un four. Ce procédé permet de brûler le bois sans provoquer de feu et d'éliminer ainsi tous les produits dérivés, entre autres les fumées nocives de carbone. Optez pour une qualité supérieure. Les morceaux sont plus gros et s'allument plus facilement. Ils brûlent mieux et risquent moins de glisser à travers les grilles du barbecue. Les bûchettes qui permettent de lancer le feu sont très efficaces. Elles sont souvent imprégnées d'un agent incandescent et sont emballées dans des sacs hermétiques. Le sac est directement projeté dans le barbecue et s'enflamme.

Sachant que ce type de charbon utilise du bois, l'augmentation massive de son emploi dans le barbecue peut revêtir des caractères inquiétants pour notre environnement. Fort heureusement, il existe maintenant une organisation internationale appelée Forest Stewardship Council (FSC), sponsorisée par le World Wildlife Fund qui surveille et régule l'emploi des arbres issus de zones forestières spécifiques. Le logo de la FSC apparaît sur les produits visés par l'organisation.

En ajoutant des herbes directement sur les galets de charbon incandescents, vous donnerez un fumet subtil et particulier à vos préparations.

Quantité de briquettes à utiliser

Taille de la cuve	Briquettes cubiques traditionnelles	Galets de charbon
diamètre 37 cm	8-16 de chaque côté	12-24 de chaque côté
diamètre 47 cm	16-32 de chaque côté	28-56 de chaque côté
diamètre 57 cm	25-50 de chaque côté	44-88 de chaque côté
diamètre 95 cm	4-8 kg de chaque côté	4-8 kg de chaque côté
Go-Anywhere®	8-16 de chaque côté	12-24 de chaque côté

Quantité de briquettes à ajouter chaque heure pour une cuisson indirecte

Taille de la cuve	Nombre de galets à ajouter par heure
diamètre 37 cm	6
diamètre 47 cm	7
diamètre 57 cm	9
diamètre 95 cm	22
Go-Anywhere®	6

Barbecue à gaz

Les barbecues à gaz sont incontestablement plus pratiques que les barbecues à charbon. En effet, il suffit d'installer une bouteille de gaz pour profiter instantanément d'un véritable four à convection. L'allumage est plus simple et vous commencez à cuisiner dix à quinze minutes après.

Ces barbecues fonctionnent grâce à un gaz liquide maintenu sous pression modérée dans le cylindre. Ce gaz existe sous deux formes : le butane et le propane. Quand la pression tombe, le liquide se transforme en gaz.

Comment allumer votre gril à gaz ?

1 Vérifiez qu'il y a une quantité suffisante de combustible dans le réservoir. Certains grils disposent de jauges permettant de mesurer la quantité restante. Vérifiez également que tous les boutons de contrôle des brûleurs soient éteints. Ouvrez le couvercle.

2 Ouvrez le robinet à gaz.

3 Allumez un brûleur puis le gril selon les instructions du constructeur, en employant le système d'allumage automatique ou une allumette. Lorsque la flamme apparaît, allumez les autres brûleurs.

4 Fermez le couvercle et préchauffez le gril jusqu'à ce que la chaleur atteigne 260 à 280 °C, ce qui prend environ dix à quinze minutes. Réglez ensuite les boutons sur le mode cuisson directe (**voir figure 10**) ou indirect (**figure 12**). Le gril est ainsi prêt à cuire.

■ **Lisez avec attention les instructions concernant le transport, le stockage et l'accès aux bouteilles de gaz.**

Fumet et gril à gaz

Rien n'est plus simple que de fumer un mets dans un gril à gaz. Imbibez l'ingrédient de votre choix dans de l'eau froide pendant 30 minutes (voir la page 16). Placez cette préparation dans un papier d'aluminium ou dans une petite boîte prévue à cet effet. Si vous préférez la première méthode, retirez la grille de cuisson, disposez le papier d'aluminium dans le coin gauche du gril directement en contact avec la source de chaleur. Replacez la grille de cuisson. Allumez et préchauffez le gril. La fumée se formera pendant cette période de préchauffage. Une fois la température de cuisson atteinte, disposez le mets au centre de la surface de cuisson et suivez les conseils de cuisson. Ne cuisez jamais les aliments en contact avec l'ingrédient qui permet d'obtenir le fumet.

Nettoyer le gril

La manière la plus simple de garder votre grille propre consiste à chauffer le barbecue et à nettoyer la grille avant chaque cuisson. Lorsque le barbecue est chaud, servez-vous d'une brosse prévue à cet effet et retirez les particules et impuretés. La chaleur « stérilise » virtuellement l'espace de cuisson et, en enlevant les particules indésirables, votre espace de cuisine sera impécable. Cette méthode s'applique également au barbecue à charbon.

À gauche : **la petite boîte à fumet permet de donner des saveurs délicates à vos grillades.**

Cuisson directe

Cette méthode est recommandée pour les rôtis, les travers de porc, les volailles entières et autres mets dont le temps de cuisson dépasse 25 minutes.

Allumez le gril et placez tous les brûleurs sur la position forte, refermez le couvercle et laissez monter en température. Disposez l'aliment au centre de la grille de cuisson et éteignez le ou les brûleurs placés sous l'aliment. Ajustez les brûleurs de chaque côté du mets en fonction de la recette. Fermez le couvercle et cuisez ainsi indirectement le mets (voir **figure 12**). La chaleur monte autour de l'aliment et se réfléchit sur les surfaces de la cuve. Cette chaleur tournante suit le même principe que les fours à convection. Elle évite notamment d'avoir à retourner les aliments en cours de cuisson (voir **figure 13**).

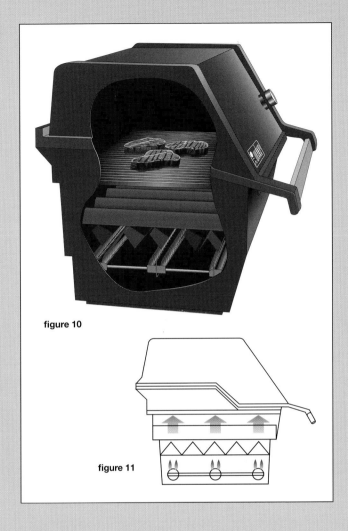

figure 10

figure 11

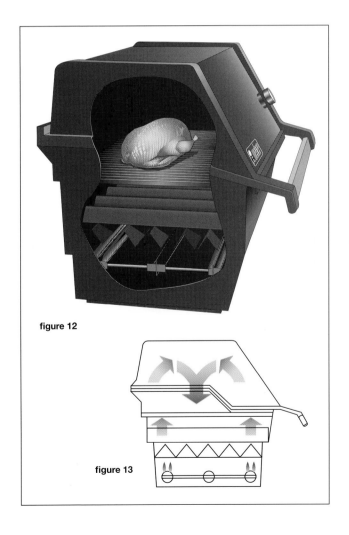

figure 12

figure 13

Cuisson directe

Cette méthode de cuisson est particulièrement adaptée aux viandes, côtelettes, kebabs, saucisses, et aux légumes dont le temps de cuisson est inférieur à 25 minutes. Souvenez-vous que l'usage du couvercle est fortement recommandé.

Allumez le gril et placez tous les brûleurs sur la position forte, refermez le couvercle et laissez monter en température. Ajustez les brûleurs à la température indiquée dans la recette. Disposez la nourriture sur la grille de cuisson (voir **figure 10**). Fermez le couvercle et cuisez directement sur la source de chaleur. La chaleur cuit l'aliment par en-dessous (voir **figure 11**). N'oubliez pas de retourner le mets une fois à mi-cuisson.

Trucs et astuces de cuisson

Ce qu'il faut savoir

- Avant la cuisson, assurez-vous que les grilles du barbecue au charbon de bois ou au gaz sont à la température conseillée.

- Cuisinez toujours avec le couvercle du barbecue rabattu.

- Les temps de cuisson indiqués varient selon la quantité, la taille et la forme des ingrédients. Par ailleurs, par temps frais, augmentez de quelques minutes le temps de cuisson et par temps très chaud, diminuez-le de la même manière.

- Durant la cuisson, assurez-vous que les aliments ne se touchent pas pour permettre une meilleure répartition de la chaleur et ainsi griller toutes les faces uniformément.

- Parez les steaks, les morceaux de viande ou de volaille et les rôtis pour que l'épaisseur de gras n'excède pas 5 mm. Cela évitera la flambée soudaine des aliments.

- Lorsque vous utilisez une marinade, un glaçage ou une sauce contenant une grande quantité de sucre, ou d'autres ingrédients facilement inflammables, badigeonnez vos pièces pendant les 10 à 15 dernières minutes de cuisson.

- Les pinces ou les spatules sont indispensables pour retourner la viande sur la grille. Évitez néanmoins d'aplatir la viande, le steak sera moins savoureux et plus sec.

Consignes de sécurité

- **Placez le barbecue dans un endroit protégé, sur une surface plane, loin des bâtiments ou d'objets susceptibles de s'enflammer (clôtures, arbres, etc.).**

- **Ne tentez jamais d'allumer votre barbecue par grand vent.**

- **Suivez toujours scrupuleusement les instructions d'usage de votre propre barbecue.**

- **Éloignez les enfants et les animaux domestiques de la source de chaleur et des ustensiles susceptibles de provoquer de graves brûlures.**

- **Gardez toujours au réfrigérateur les denrées périssables ou les boîtes de conserve, jusqu'à leur préparation.**

- **Les ustensiles ou les surfaces de travail ayant servi à préparer des aliments crus doivent toujours être lavés avant tout autre manipulation.**

- **Assurez-vous toujours de la parfaite cuisson des saucisses et des volailles avant de les retirer du gril.**

- **Utilisez de longs ustensiles adaptés au barbecue. Portez des gants de cuisine pour éviter les brûlures.**

- **Rappelez à vos convives que l'acier des brochettes retient la chaleur un certain temps après la cuisson.**

- **Mettez les restes des aliments cuits sur le gril au réfrigérateur après refroidissement.**

- **Vérifiez que les morceaux de charbon sont complètement éteints avant de quitter l'endroit.**

- **Une règle d'or : l'eau et le feu ne font pas bon ménage. Ne vaporisez pas d'eau sur les braises, la vapeur qui se dégage peut provoquer de graves brûlures. De plus, la surface de la grille peut être sérieusement endommagée. Pour éviter qu'une viande ne s'embrase, ôtez l'excès de graisse qui l'entoure. Si vous rencontrez néanmoins ce genre de problème, retournez les aliments plusieurs fois sur la grille, jusqu'à ce que les flammes disparaissent.**

Quelques astuces

Les modes de cuisson à l'extérieur possèdent leurs petites astuces. Aussi, nous avons élaboré un guide des pièges à éviter.

■ **Soyez patient lors de la mise en route du barbecue.** Il faut compter de 25 à 30 minutes pour qu'il atteigne la bonne température, c'est à dire lorsque le charbon de bois est bien rouge. Sachez que le fait de mettre les aliments avant que le charbon ne soit prêt modifie la saveur et rallonge le temps de cuisson. Enfin, les saveurs peuvent également être altérées par les carrés ou les fluides facilitant l'allumage (dès lors qu'ils ne sont pas consumés entièrement).

■ **Manipulez avec beaucoup de précaution les fluides servant de combustible d'allumage.** Ils peuvent provoquer de très grosses flammes. N'utilisez jamais d'essence ou autres fluides très volatiles pour allumer le charbon de bois. Prenez toujours des fluides spécifiquement adaptés et attendez qu'ils soient complètement absorbés avant d'enflammer l'ensemble. Ne rajoutez jamais de combustible liquide sur le charbon déjà chaud. Lisez bien les instructions figurant sur les étiquettes de ces produits et utilisez-les avec parcimonie.

■ **Selon les aliments que vous allez faire cuire,** le mode de cuisson peut varier. Il est donc important de bien faire la différence entre une cuisson directe et indirecte.

■ **Évitez de vérifier la cuisson trop fréquemment.** À chaque fois que vous ouvrez le couvercle, cela crée une déperdition de chaleur, augmentant les temps de cuisson. N'ouvrez que pour rajouter du charbon, arroser certains mets ou retourner la viande.

■ **Ne fermez pas les grilles de ventilation** situées sur le bord de la partie basse du barbecue. Elles permettent une bonne circulation d'air et gardent le charbon de bois à bonne température, quand vous ouvrez le couvercle du barbecue.

■ **Évitez de retourner les aliments trop fréquemment.** Pour une cuisson directe, une seule fois à mi-cuisson est nécessaire.

■ **Évitez d'utiliser une fourchette pour transpercer et retourner** des morceaux de viande, car cela les assèche et entraîne une perte de saveur.

■ **Évitez de faire griller la viande à feu vif**, cela favorise la carbonisation externe alors que l'intérieur est quasiment cru. Il vaut mieux saisir la viande quelques minutes directement sur la grille du barbecue et la cuire indirectement le temps restant. Cela permet d'obtenir de meilleurs résultats.

■ **Ne couvrez pas le bord**, ni même la grille entière avec du papier aluminium. Vous risquez d'obstruer l'écoulement d'air nécessaire à la cuisson. Cela provoquerait une accumulation de graisse, qui finirait par s'enflammer.

Accessoires

Il n'est pas nécessaire d'acheter tous les gadgets conçus pour la cuisine extérieure. Il existe néanmoins quelques incontournables qui facilitent la vie en respectant les normes de sécurité. En règle générale, la première chose à faire consiste à choisir des ustensiles munis d'un long manche et très maniables.

■ **Une spatule en métal** assez large constitue l'accessoire idéal pour retourner les steaks et les filets de poisson à la chair délicate. Préférez-la en acier inoxydable.

■ **Un pinceau** est préconisé pour huiler légèrement les aliments ou la grille de cuisson. Cela permet d'éviter que les aliments ne se désagrègent. Vous pouvez utiliser ce pinceau pendant la cuisson. Préférez les poils du pinceau en soie naturelle.

■ **Une brosse en poils de cuivre** muni d'un long manche permet de nettoyer les grilles de cuisson facilement. Lorsque la grille est encore chaude, retirez les résidus avec cet ustensile.

■ **Une paire de pinces** est pratique pour attraper et retourner les aliments. Préférez une paire de pinces aux extrémités en acier inoxydable et munie d'un long manche.

■ **Une fourchette** avec une grande poignée permet d'attraper les rôtis et la volaille en toute sécurité. Évitez de percer l'aliment en cours de cuisson, cela ferait sortir les jus qui concentrent les saveurs des aliments. Évitez également de piquer à la fourchette les plus petits morceaux de viande.

■ **Des gants de cuisine**, pour vous protéger des brûlures des casseroles et des grilles de cuisson.

■ **Un minuteur** vous permet de ne pas avoir à surveiller la cuisson trop souvent et donc d'ouvrir le couvercle du barbecue. Enfin, il vous rappelera qu'il est temps de retourner les aliments, de vérifier la cuisson et de les retirer lorsqu'ils sont cuits.

■ **Un thermomètre à viande** permet de cuire les rôtis sur mesure. Cet accessoire indique la température intérieure de la pièce qui est en cours de cuisson. Vous devez l'insérer au milieu, dans la partie la plus épaisse lorsque vous estimez que la viande est cuite. La température s'affiche au bout de quelques minutes. N'oubliez pas de retirer le thermomètre durant la cuisson.

■ **Un plateau « ramasse goutte »** en aluminium ou un récipient en métal revêtu de papier aluminium reste l'accessoire indispensable pour maintenir votre barbecue propre. S'il est suffisamment large, il permet de récupérer les graisses et les jus qui tombent en cours de cuisson.

■ **Les brochettes** constituent un ustensile de cuisson idéal pour cuisiner les viandes et les poissons. Elles sont pratiques car elles peuvent être préparées à l'avance et sont réparties équitablement selon le nombre d'invités. Les brochettes cuisent plus rapidement et plus facilement les pièces de viande, de poisson ou de légume que si elles sont soumises à une cuisson individuelle indirecte. De plus, il existe un nombre impressionnant d'aliments adaptés à la cuisson sur brochettes. On peut alors imaginer les mélanges les plus audacieux avec des piments, des feuilles de laurier, etc.

Les brochettes existent de différentes longueurs et de différentes matières. Celles en métal restent les plus communes et conduisent bien la chaleur, ce qui permet une cuisson au cœur des ingrédients. De plus, elles sont réutilisables. Les brochettes en bois ou en bambou sont également efficaces mais nécessitent un trempage dans l'eau froide pendant 30 minutes avant utilisation sur le barbecue.

À gauche : **une longue brosse est un accessoire indispensable pour nettoyer les grilles de cuisson à chaque utilisation du gril.**

À droite : **un équipement minimum mais efficace (comme ces ustensiles à manche long) assure l'équilibre entre rapidité et précautions d'usage.**

Marinades

Ce sont des préparations qui mettent en valeur et rehaussent le goût des viandes, des poissons et des légumes. Un morceau de viande quelconque, imprégné d'huile d'olive et d'une préparation de vos herbes et épices préférées, se transforme tout à coup en un mets subtil et savoureux. Vous pouvez également ajouter des ingrédients qui donneront davantage de moelleux à la viande : le citron et le vinaigre par exemple. La plupart des marinades comportent de l'huile qui évite à la viande de se dessécher lors de la cuisson. Pour que la viande ne s'enflamme pas, retirez le surplus d'huile à l'aide d'un pinceau avant de la poser sur la grille.

Si vous disposez d'un endroit frais, préférez celui-ci au réfrigérateur, qui dénature quelque peu les saveurs de la marinade. Mais si vous devez laisser vos aliments durant deux jours ou plus, il est préférable de les placer au réfrigérateur. Vous devez simplement penser à les sortir pour les ramener à température ambiante avant de les cuisiner. Pensez également à couvrir le plat avec un couvercle ou un film alimentaire et à retourner les aliments de manière à obtenir une bonne répartition de la marinade. Ne conservez pas la marinade qui a servi à parfumer des aliments crus. Les morceaux de volaille et de viande ont besoin d'une heure environ avant d'être bien imprégnés des saveurs de la marinade ; pour les poissons, une demi-heure suffit généralement. En découpant ou en traçant des entailles sur la chair des viandes et des poissons, vous accélérerez le processus d'imprégnation.

Page 25 en haut : **marinade chinoise classique.**

Page 25 au milieu : **marinade au gingembre épicé et au yaourt.**

Page 25 en bas : **marinade d'ail citronné et d'origan.**

Les quantités indiquées ci-dessous conviennent à 900 g de viande ou de poisson.

Marinade de romarin et d'ail

Convient à l'agneau, au bœuf, au porc, au veau et au poulet

150 ml d'huile d'olive
2 cuillères à soupe de vinaigre de vin blanc
3 gousses d'ail, hachées grossièrement
2 longues tiges de romarin fraîches, dont les feuilles sont détachées et broyées
½ cuillère à café de poivre en grains écrasés grossièrement

Placez les ingrédients dans un bol et mélangez. Disposez la viande en une seule couche dans un plat peu profond et versez la marinade par-dessus. Couvrez et laissez reposer les morceaux de viande pendant 1 heure.

Marinade d'ail citronnée et d'origan

Convient à l'agneau, au porc, au veau, au poulet, à la dinde et au poisson

150 ml d'huile d'olive
1 citron, le jus et le zeste de citron
1 grosse gousse d'ail, coupée en lamelles fines
2 cuillères à soupe d'origan hâché grossièrement
sel et poivre noir fraîchement moulu

Mélangez les ingrédients dans un bol. Disposez la viande crue dans un plat peu profond et versez la marinade dessus. Couvrez et laissez la viande ou la volaille s'imprégner pendant 1 heure, et 30 minutes pour le poisson.

Marinade au gingembre épicé et au yaourt

Convient à l'agneau, au poulet, au canard, à la dinde et au poisson

225 g de yaourt nature
2 gousses d'ail écrasées
un morceau de gingembre frais de 2,5 cm, râpé
le jus de ½ citron
1 cuillère à café de cumin moulu
1 cuillère à café de coriandre moulue
½ cuillère à café de cardamome écrasé
½ cuillère à café de piment de Cayenne
½ cuillère à café de sel
3 cuillères à soupe de feuilles de menthe hâchées grossièrement

Mettez le yaourt dans un bol. Ajoutez tous les autres ingrédients et mélangez bien. Disposez la viande, la volaille ou le poisson dans un plat peu profond et versez la marinade dessus. Couvrez, laissez la viande et la volaille s'en imprégner pendant 1 heure et le poisson pendant 30 minutes. Retournez-les une fois à mi-temps.

Marinade chinoise classique

Convient au bœuf, au porc, au poulet, au canard
et au poisson

2 cuillères à soupe de vinaigre d'alcool de riz
4 cuillères à soupe de sauce de soja
1 cuillère à soupe d'huile de sésame
2 cuillères à soupe de miel liquide
1 morceau de gingembre frais de 2,5 cm, râpé
2 gousses d'ail, grossièrement hachées
1 cuillère à soupe de cinq-épices en poudre

Mélangez les ingrédients dans un bol. Disposez les aliments crus
dans un plat peu profond et versez la marinade dessus. Couvrez
et laissez la viande et la volaille s'imprégner pendant une heure, le
poisson pendant 30 minutes.

Marinade d'aneth, de raifort et
de poivre noir en grain

Convient au bœuf et au poisson

6 cuillères à soupe d'huile d'olive
6 cuillères à soupe de vinaigre de vin blanc
le jus de ½ citron
3 cuillères à soupe d'aneth fraîche hachée
½ cuillère à soupe de raifort frais
8 grains de poivre noir
¼ cuillère à café de sel

Mettez tous les ingrédients dans un bol et mélangez bien.
Disposez le bœuf ou le poisson en une seule couche dans un plat
peu profond et versez la marinade dessus. Couvrez et laissez
s'imprégner la viande pendant 1 heure, le poisson pendant
30 minutes.

Marinade de moutarde de Dijon
et de vin blanc

Convient à l'agneau, au porc, au bœuf, au veau, au poulet,
à la dinde et au poisson

2 cuillères à soupe de moutarde de Dijon
4 cuillères à soupe de vinaigre de vin blanc
4 cuillères à soupe d'huile d'olive
1 échalote, finement hachée
1 gousse d'ail, finement hachée
sel et poivre fraîchement moulu

Mettez tous les ingrédients dans un bol et mélangez bien.
Disposez la viande, le poulet ou le poisson en une seule couche
dans un plat peu profond et versez la marinade. Couvrez et
laissez la viande ou la volaille s'imprégner pendant 1 heure,
le poisson pendant 30 minutes.

Herbes et épices

Les quantités indiquées ci-dessous conviennent à 900 g de viande ou de poisson.

Le mélange d'herbes ou d'épices peut être assimilé à une marinade sèche. Si la plupart des marinades se composent d'huile et imprègnent les viandes ou les poissons, le mélange d'herbes ou d'épices est frotté aux aliments avant leur cuisson. On peut ajouter un peu d'huile afin de faciliter l'adhérence des herbes ou des épices aux ingrédients.
Vous pouvez pratiquer des entailles dans la viande avant d'appliquer la préparation. Recouvrez les ingrédients à l'aide du mélange et laissez les saveurs s'en dégager pendant environ une heure. Si vous n'avez pas suffisamment de temps, ces mélanges épicés offrent des résultats plus rapides que les marinades.

Dès lors que la plupart de ces préparations sont réalisées à partir d'ingrédients secs et rapides à assembler, rien ne vous oblige à les préparer longtemps à l'avance. Vous pouvez les laisser pendant plusieurs semaines dans des bocaux pour vous en servir au moment voulu.
Le plaisir de la préparation de ces mélanges tient à leur richesse et à leur diversité. Les recettes qui vous sont proposées constituent quelques pistes à emprunter pour vous familiariser aux mélanges. Sachez cependant que ces compositions sont infinies, au même titre que le sont les mélanges de parfums qui imprègnent nos jardins.

Mélange doux et fort

Convient à l'agneau, au porc, au bœuf, au veau, au poulet et à la dinde

2 cuillères à café de poudre de piment rouge (Chili)
2 cuillères à café de paprika
3 cuillères à café de sucre brun doux
1 cuillère à café de cumin
1 cuillère à café de piment de cayenne
1 cuillère à café de poudre de moutarde
2 cuillères à café de poivre noir
1 cuillère à café de sel

Mélangez tous les ingrédients dans un bol.

Mélange Cajun

Convient à toutes les viandes, au poulet, à la dinde et au poisson

2 cuillères à café de paprika fort
1 cuillère à café de thym sec
1 cuillère à café d'origan sec
1 cuillère à café de poivre noir en grains
1 cuillère à café de poivre blanc en grains
1 cuillère à café de poudre d'oignon
2 cuillères à café de sel
1 cuillère à café de graines de cumin

Placez tous les ingrédients dans un mortier et, à l'aide d'un pilon, écrasez l'ensemble afin d'obtenir une poudre.

Ci-contre en haut : **mélange d'herbes citronné.**

Ci-contre au centre : **mélange Texas.**

Ci-contre en bas : **mélange d'épices marocaines.**

Mélange d'herbes citronné

Convient au porc, au poulet, à la dinde et au poisson

4 grosses gousses d'ail écrasées
le zeste râpé de 1 citron
2 cuillères à café de romarin sec, coupé
1 cuillère à café de basilic, coupé
½ cuillère à café de sel
½ cuillère à café de thym séché, coupé
½ cuillère à café de poivre noir

Disposez tous les ingrédients dans un bol et mixez-les.

Mélange Texas

Convient au veau, au porc, à l'agneau et à la dinde

1 gousse d'ail écrasée
1 cuillère à café de graines de moutarde écrasées
1 cuillère à soupe de sel
1 cuillère à café de poudre de piment rouge (chili)
1 cuillère à café de piment de Cayenne
1 cuillère à café de paprika
½ cuillère à café de coriandre
½ cuillère à café coriandre de cumin

Disposez l'ail et les graines de moutarde dans un mortier. Écrasez l'ensemble à l'aide d'un pilon jusqu'à obtention d'une pâte. Ajoutez le reste des ingrédients et mixez le tout pour obtenir un mélange sec.

Mélange d'épices marocaines

Convient au veau, au poulet, au canard, à la dinde et au poisson

1 cuillère à café de cumin
1 citron, dont le zeste sera finement râpé
½ cuillère à café de poudre de safran
1 cuillère à café de poudre de piment rouge fort (chili)
½ cuillère à café de coriandre en poudre
2 cuillères à soupe de coriandre fraîche, finement coupée
1 gousse d'ail, finement coupée
¼ cuillère à café de sel de mer
½ cuillère à café de poivre noir frais

Placez tous les ingrédients dans un mortier et mélangez l'ensemble jusqu'à obtenir une pâte homogène.

Beurres parfumés

Les beurres parfumés sont de véritables exhausteurs de goût. Ils accompagnent et illuminent les viandes grillées, le poulet ou le poisson. Une viande toute simple peut se transformer en un mets savoureux lorsqu'elle est agrémentée de votre beurre préféré. Vous pouvez les préparer à l'avance et les créer vous-même en inventant une combinaison d'herbes, d'épices ou de saveurs mélangée à du beurre ramolli. Prenez ensuite une cuillère et déposez votre beurre sur du papier sulfurisé, roulez le papier en forme de bûche et fermez les extrémités comme des papillotes. Vous pouvez ensuite le mettre au frais pour le raffermir. L'utilisation est très simple : découpez des petites tranches de bûche et faites-les fondre sur la viande, la volaille ou le poisson sortant du gril. Vous pouvez également congeler vos bûches de beurre pour les ressortir le moment venu.

Beurre parfumé à la coriandre et à l'orange

Convient au bœuf, au porc et au poisson

225 g de beurre ramolli
le zeste râpé de 1 orange
2 cuillères à soupe de coriandre fraîche hachée

Battez les différents ingrédients ensemble, faites-en un rouleau et mettez au frais jusqu'à raffermissement.

Beurre parfumé aux herbes de Provence

Convient au poulet, au porc, à l'agneau, au poisson et aux crustacés

1 cuillère à café de thym frais haché
1 cuillère à café de marjolaine fraîche hachée
1 cuillère à café de basilic frais haché
1 cuillère à café d'origan frais haché
225 g de beurre ramolli

Battez les herbes fraîches dans le beurre, faites-en un rouleau et mettez au frais jusqu'à raffermissement.

Beurre parfumé au fenouil et au citron

Convient au poulet, au porc, au poisson et aux crustacés

1 cuillère à soupe de graines de fenouil
225 g de beurre, ramolli
le zeste râpé de 1 citron
1 cuillère à soupe de fenouil frais haché

Faites frire à sec les graines de fenouil dans une petite poêle pendant 1 minute jusqu'à ce que les arômes se développent. Mettez-les dans un mortier et pilonnez grossièrement les grains. Incorporez-les dans le beurre ramolli avec le zeste de citron et le fenouil frais, faites-en un rouleau et mettez au frais jusqu'à raffermissement.

Beurre parfumé aux trois poivres

Convient au bœuf, au porc et au poisson

225 g de beurre ramolli
1 cuillère à café de poivre rose
1 cuillère à café de poivre vert
1 cuillère à café de poivre noir fraîchement moulu

Battez tous les ingrédients ensemble, faites-en un rouleau et mettez au frais jusqu'à raffermissement.

Beurre parfumé au piment rôti

Convient au bœuf, au porc, aux légumes et au poisson

5 gros piments rouges
1 cuillère à soupe d'huile d'olive
2 cuillères à soupe de persil frais haché
225 g de beurre ramolli

Placez les piments dans un plat à rôtir et badigeonnez-les d'un peu d'huile. Placez-les au four à 230°C, thermostat 8 pendant 10 à 15 minutes. Laissez refroidir puis égrenez et hachez les piments grossièrement. Battez-les avec le beurre et le persil, faites-en un rouleau et mettez au frais jusqu'à raffermissement.

À droite : **beurre parfumé au piment rôti.**

Quelle que soit la combinaison
d'ingrédients choisie, veillez à
les mélanger de façon homogène
au beurre ramolli avant d'en faire
des rouleaux.

Amuse-bouches

Le repas est une occasion qui permet de réunir famille et
amis autour d'une table pour un moment de convivialité.
La préparation du barbecue ne fait pas exception à cette
tradition. C'est d'ailleurs un moment où tout le monde peut
participer à la réalisation du repas avant de passer à table.
Pendant que le plat principal se prépare, de nombreuses
entrées et amuse-bouches peuvent également être
cuisinées au barbecue. Délicieuses et originales,
elles mettront vos convives en appétit et égayeront
joliment votre table.

Satays divers
sauce brune

Gaz	Direct/Fort	✳ ✳
Charbon	Direct	
Temps de préparation	40 min + 1 h de marinade	
Temps de cuisson	6-8 min	**4 pers.**

1 cuillère à soupe d'huile d'olive

1 petit oignon haché

2 piments rouges égrainés et hachés

3 cuillères à soupe de sauce de soja

1 cuillère à soupe de sucre roux

le jus de 1 citron vert

1 cuillère à café de pâte de curry

150 g de blanc de poulet désossé et dépecé

150 g de steak très tendre

150 g de filet de porc

Sauce brune

2 cuillères à soupe de farine

1 gousse d'ail finement hachée

30 g de beurre

50 cl de consommé de bœuf préparé
à l'aide d'un cube de concentré

4 cuillères à soupe de Madère

1 Trempez 12 brochettes de bois de bambou dans l'eau froide pendant 30 minutes. Faites chauffer l'huile d'olive dans une petite poêle, puis ajoutez l'oignon et le piment pendant 3 à 4 minutes pour les faire ramollir. Retirez du feu, puis ajoutez la sauce de soja, le sucre, le jus de citron vert et la pâte de curry. Laissez reposer.

2 Découpez le poulet, le steak et le filet de porc en 4 bandes. Placez les filets dans un plat non métallique. Versez-y la marinade, couvrez et laissez reposer 1 heure à température ambiante.

3 Pour la **sauce brune**, faites fondre le beurre à feu doux et ajoutez progressivement la farine sans cesser de remuer. Versez doucement le consommé de bœuf. Portez à ébullition. Hors du feu, ajoutez le madère et l'ail à la sauce.

4 Sortez les morceaux de viande et de volaille de la marinade afin de les enfiler sur les brochettes. Ne conservez pas la marinade. Badigeonnez la viande d'un peu d'huile. Faites cuire les brochettes en mode de cuisson directe à feu vif pendant 6 à 8 minutes de chaque côté, en les retournant une fois. Servez chaud avec la sauce.

L'acidité du jus de citron contenu dans la marinade permet d'attendrir le poulet et la viande de manière très naturelle.

La saveur délicate de la sauce brune donne une touche originale à l'ensemble.

Crevettes à l'ail
drapées de jambon d'Aoste

Gaz	Direct/Fort	☀
Charbon	Direct	
Temps de préparation	25 min + 25 min de marinade	
Temps de cuisson	6-8 min	12 pers.

24 grosses crevettes décortiquées
2 gousses d'ail finement hachées
1 cuillère à soupe d'aneth frais haché
ou 1/2 cuillère à café d'aneth séché
1 cuillère à soupe d'estragon frais haché
ou 1/2 cuillère à café d'estragon séché
12 tranches de jambon cru type Aoste
1 cuillère à soupe d'huile d'olive
sel et poivre noir fraîchement moulu

1 Si vous utilisez des brochettes de bambou, faites-les tremper dans l'eau froide pendant 30 minutes. Lavez et séchez les crevettes. Disposez-les dans un bol avec l'ail, l'aneth, l'estragon, le sel, le poivre et l'huile d'olive (le jambon cru peut déjà être salé : assaisonnez-le légèrement). Enduisez bien les crevettes de ce mélange. Coupez la moitié de chaque tranche de jambon cru dans le sens de la longueur. Enveloppez chacune des crevettes dans la moitié d'une tranche de jambon cru.

2 Enfilez les crevettes sur vos brochettes en laissant un petit espace entre elles. Faites cuire les brochettes en cuisson directe à feu moyen pendant 5 à 6 minutes en les tournant de chaque côté. Lorsque la chair est bien rose et ferme, vous pouvez servir chaud.

Crevettes tigres
sauce aigre-douce

Gaz	Direct/Moyen	☀ ☀
Charbon	Direct	
Temps de préparation	25 min + 25 min de marinade	
Temps de cuisson	2-3 min	4 pers.

16 crevettes tigres décortiquées
1 gousse d'ail finement haché
2 cuillères à soupe d'huile d'olive
sel et poivre noir fraîchement moulu

Sauce aigre-douce
1 gousse d'ail finement écrasée
2 cuillères à soupe de sauce de soja
3 cuillères à soupe de miel liquide
le zeste et le jus d'1 citron vert
2 cuillères à soupe de coriandre fraîche grossièrement hachée
1 cuillère à café de piment en poudre

1 Coupez 8 brochettes de 10 cm. Faites-les tremper dans l'eau froide pendant 30 minutes. Rincez les crevettes et égouttez-les dans un torchon. Placez-les dans un bol contenant l'ail haché et l'huile d'olive. Mélangez et assaisonnez bien. Couvrez et laissez mariner pendant 15 minutes.

2 Pour la **sauce aigre-douce**, disposez l'ail haché, la sauce de soja, le zeste entier ainsi que la moitié du jus de citron, la coriandre et la poudre de piment dans un bol. Incorporez le miel au fouet de manière à obtenir un mélange bien homogène. Placez la sauce aigre-douce dans une soucoupe destinée à tremper les brochettes.

3 Piquez deux crevettes par brochette. Faites cuire en mode de cuisson directe, à feu moyen pendant 2 à 3 minutes de chaque côté, jusqu'à ce que la chair soit rose et tendre. Servez chaud.

Crevettes tigres.
Voir photo en bas à droite
page 30.

Ailerons de poulet
au gingembre et au citron

Gaz	Direct/Moyen	✹ ✹
Charbon	Indirect	
Temps de préparation	20 min	
Temps de cuisson	30 min	6 pers.

2 morceaux de gingembre
5 cuillères à soupe de miel liquide
2 cuillères à soupe de vin de xérès sec
le zeste et le jus de 1 citron vert
sel et poivre noir fraîchement moulu
12 gros ailerons de poulet sans leurs extrémités
huile pour badigeonner

1 Découpez le gingembre en fines lamelles que vous placerez dans un petit bol. Ajoutez une cuillère à soupe de sirop.

2 Incorporez le miel, le xérès, le zeste et le jus de citron. Mixez le tout jusqu'à obtention d'un mélange bien homogène. Versez la sauce dans une petite poêle. Portez le tout à ébullition pendant 3 à 4 minutes. Assaisonnez et faites réduire la sauce de moitié. Laissez refroidir.

3 Enfilez les ailerons de poulet perpendiculairement à la brochette. Choisissez de préférence des brochettes métalliques (vous pouvez en utiliser deux afin de faciliter la manipulation durant la cuisson).

4 Badigeonnez bien les ailerons d'huile. Placez les brochettes au centre de la grille du barbecue. Cuisez-les indirectement, à feu moyen pendant 20 minutes, en les retournant une fois. Badigeonnez ensuite le poulet avec la sauce au gingembre et au citron, puis remettez à cuire les brochettes 10 minutes en les retournant et badigeonnez l'autre côté. Servez chaud.

Bruschettas
aux tomates et aux anchois

Gaz	Direct/Moyen	✹
Charbon	Direct	
Temps de préparation	15 min	
Temps de cuisson	5-6 min	6 pers.

6 tomates cerises
2 cuillères à soupe d'huile d'olive
6 tranches de pain de campagne épaisses (environ 2,5 cm)
1 grosse gousse d'ail
2 cuillères à soupe de tapenade
6 grandes feuilles de basilic
12 filets d'anchois frais ou fumés
poivre noir fraîchement moulu
huile d'olive pour la finition

1 Coupez les tomates cerises en deux, puis badigeonnez-les d'un peu d'huile. Faites-les colorer au barbecue direct, à allure moyenne pendant 5 à 6 minutes. Retirez-les du feu et mettez-les de côté. Faites griller les tranches de pain de chaque côté en mode de cuisson directe, à feu moyen, puis retirez-les du gril.

2 Frottez aussitôt la gousse d'ail sur les toasts. Répartissez la tapenade sur chaque tranche, disposez une moitié de tomate cerise sur le dessus, ajoutez une feuille de basilic et deux filets d'anchois. Assaisonnez d'un peu de poivre moulu.
Arrosez légèrement d'huile d'olive.

Bruschettas.
Voir photo en haut à droite page 30.

Roulés d'aubergine
au chèvre et au yaourt

Gaz	Direct/Moyen	✳ ✳
Charbon	Direct	
Temps de préparation	20 min	
Temps de cuisson	4 min	8 pers.

2 aubergines
4 cuillères à soupe d'huile d'olive pour badigeonner
175 g de fromage de chèvre
3 cuillères à soupe de sauge fraîche hachée

Sauce au yaourt
300 g de yaourt nature
2 gousses d'ail écrasées
4 cuillères à soupe de menthe fraîche hachée

1 Faites tremper 14 brochettes de bambou dans l'eau froide pendant 30 minutes. Utilisez un bon couteau tranchant pour détailler les aubergines. Coupez-les en 8 tranches dans le sens de la longueur. Badigeonnez les tranches de tous côtés avec l'huile d'olive. Assaisonnez-les largement. Faites-les cuire en mode de cuisson directe à feu moyen pendant 6 minutes, en les retournant une fois jusqu'à ce qu'elles soient tendres. Laissez refroidir.

2 Pendant ce temps, préparez **la sauce** en mélangeant tous les ingrédients dans un bol. Assaisonnez bien et placez le tout au frais. Vous pouvez également préparer cette sauce à l'avance en la maintenant au frais.

3 Coupez le fromage de chèvre en 6 morceaux. Disposez-les sur les tranches d'aubergine. Ajoutez la sauge hachée. Roulez les aubergines et piquez les deux extrémités pour éviter qu'elles ne s'ouvrent.

4 Faites cuire les rouleaux en mode de cuisson indirecte à petit feu pendant 4 minutes, en les retournant une fois.

5 Servez les rouleaux d'aubergine chauds. Dégustez-les avec la sauce.

Huîtres grillées
sauce au beurre barbecue

Gaz	Direct/Fort	✳
Charbon	Direct	
Temps de préparation	10 min	
Temps de cuisson	5 min	3 pers.

12 huîtres

Sauce au beurre barbecue
1 cuillère à soupe de beurre non salé
1 cuillère à café d'ail émincé
2 cuillères à soupe de jus de citron fraîchement pressé
2 cuillères à soupe de sauce de piment doux

1 Pour la sauce barbecue, faites revenir le beurre et l'ail dans une poêle à allure moyenne. Remuez de temps en temps, jusqu'à coloration du beurre et pour que l'arôme de l'ail se développe, pendant 2 à 3 minutes. Retirez le beurre du feu et incorporez le jus de citron ainsi que le piment doux. Mixez le tout afin d'obtenir un mélange bien homogène.

2 Pour ouvrir les huîtres, prenez un torchon de cuisine et placez l'huître à l'intérieur de votre main. Trouvez le point d'ouverture du coquillage, près du muscle, et glissez la lame du couteau à huître à l'intérieur. Essayez de conserver le jus de l'huître. Rassemblez délicatement le mollusque vers le centre du coquillage. Conservez la partie la plus profonde contenant l'huître et jetez le dessus de la coquille.

3 Versez une cuillère à café de sauce au beurre sur chaque huître. Faites-les cuire au barbecue direct à allure forte, jusqu'à ébullition de la sauce, pendant 2 à 3 minutes. Puis laissez-les encore 1 à 2 minutes. Servez chaud.

Ci-dessus à gauche : **roulés d'aubergine.**

Ci-dessus à droite : **huîtres grillées.**

Tenez fermement la coquille d'huître pour ne pas qu'elle glisse au moment de l'ouvrir.

Courgettes à la menthe
au hommos

Gaz	Direct/Moyen	☀ ☀
Charbon	Direct	
Temps de préparation	30 min	
Temps de cuisson	8 min	8–10 pers.

Hommos

225 g de pois chiches

2 gousses d'ail hachées grossièrement

3 cuillères à soupe de jus de citron

4 cuillères à soupe de pâte de tahini

5 cuillères à soupe d'huile d'olive

1 cuillère à café de cumin moulu

sel et poivre noir fraîchement moulu

Courgettes à la menthe

1 cuillère à soupe de menthe fraîche finement hachée

675 g de courgettes moyennes avec leur peau

huile d'olive pour lustrer

10 olives noires en quartiers

piment de Cayenne

1 Pour le **hommos**, égouttez et rincez les pois chiches. Gardez le jus de conservation. Réduisez-les en purée avec 1 à 2 cuillères à soupe de jus.

2 Ajoutez l'ail, le jus de citron, la pâte de tahini. Mixez à nouveau afin d'obtenir une purée légère. Incorporez 45 ml d'huile d'olive. Ajoutez le cumin, assaisonnez bien et mixez brièvement. Placez le tout au frais. Dans un grand bol, mixez le reste d'huile d'olive avec la menthe hachée, puis laissez reposer.

3 Pour les **courgettes à la menthe**, coupez les courgettes en deux dans le sens de la longueur, puis badigeonnez-les d'huile d'olive. Faites-les cuire au barbecue direct à allure moyenne pendant 8 minutes, jusqu'à ce qu'elles soient tendres, en les retournant une fois. Retirez-les du feu et découpez les moitiés de courgette en trois. Mettez-les dans le bol contenant la menthe et mélangez bien. Assaisonnez et laissez reposer.

4 Disposez une bonne cuillère de hommos sur chaque morceau de courgette. Garnissez cette purée onctueuse d'un quartier d'olive et saupoudrez de piment de Cayenne. Disposez joliment sur un plateau et servez frais.

Lorsque vous retournerez vos courgettes après 3 à 4 minutes de cuisson, vous découvrirez les marques du gril, qui donnent au légume un goût délicieux.

Poissons
et crustacés

Les soirées d'été sont le moment idéal pour se retrouver entre amis et partager des poissons et des fruits de mer grillés.

Cette cuisine légère et rapide ne nécessite quasiment pas de préparation et vous laisse tout le repas pour la déguster.

Des recettes japonaises, scandinaves ou australiennes agrémenteront ces instants de douceur par une note d'originalité et d'exotisme.

Le choix du poisson

La cuisson au barbecue est excellente dès lors que le poisson s'y prête. Mettez donc toutes les chances de votre côté en commençant par acheter un bon poisson. Pour cela, il est recommandé de choisir un poisson pêché du jour. Il est important de connaître les critères permettant d'évaluer sa fraîcheur. Il doit sentir bon l'odeur du large, et non pas dégager de fortes odeurs. Vous pouvez vous fier à son aspect général : en particulier, les yeux doivent être brillants et vifs. Soulevez également les ouïes : elles doivent être rose vif. Les écailles doivent être brillantes et doivent coller au corps du poisson. La poissonnerie, au débit important, reste l'endroit idéal pour faire votre marché. Vous pouvez acheter le poisson entier et apprécier ses qualités sur place. De plus, le poissonnier est à même de le vider et de le découper. Faire griller un poisson entier nécessite impérativement de le vider, de l'écailler et de retirer ses nageoires (la tête peut être gardée ou non).

Des poissons savoureux

Que vous le cuisiniez en filets ou entier, il existe différentes façons d'accommoder le poisson au barbecue. Si vous souhaitez le cuire entier, il est préférable de pratiquer 3 ou 4 entailles dans la chair, de chaque côté du poisson, avant de le faire mariner. Vous pouvez également le farcir de citron, de citron vert ou encore de différentes variétés d'herbes. Une recette de beurre parfumé peut aussi servir de farce : il faut, pour cela, envelopper et sceller le poisson dans du papier aluminium, de manière à conserver la sauce et à ce qu'elle cuise en même temps que le poisson. Lorsque vous cuisinez un poisson entier, vous pouvez le faire mariner ou le badigeonner avec une sauce ou un glaçage quelques minutes avant la fin de la cuisson au gril.

Mariages savoureux s'accordant avec le poisson et les crustacés
Estragon ■ aneth ■ fenouil ■ origan ■ basilic ■ coriandre ■ menthe ■ piment ■ gingembre ■ noix de coco ■ câpres ■ sauce de soja ■ huile de sésame ■ moutarde ■ citron ■ citron vert ■ champignons ■ oignon nouveau ■ vin blanc.

Quelques astuces

■ Il est possible de cuire **le poisson** entier directement sur la grille de cuisson du barbecue. Afin d'éviter qu'il n'attache, il faut veiller à le badigeonner d'huile avant de le faire griller. Vous pouvez également poser une feuille de papier aluminium très résistante sur la grille. Si vous souhaitez cuisiner un poisson entier avec d'autres saveurs, veillez à l'envelopper dans du papier aluminium que vous scellerez afin de conserver le jus de cuisson.

■ **Les darnes et filets de poisson** cuisent aisément sur une grille de cuisson préalablement huilée. Les poissons à chair délicate et se détachant facilement nécessitent une feuille de papier aluminium résistante, dont vous plierez les bords afin de retenir le jus de cuisson. Vous pouvez ajouter un bouillon ou du vin pour aider le poisson à conserver son moelleux.

■ **Pour vérifier qu'un poisson est bien cuit au centre**, enfilez la pointe d'un couteau dans la partie la plus épaisse et regardez avec précaution si la pointe est chaude. Vous pouvez aussi écarter délicatement la chair du poisson afin de voir facilement s'il est cuit ou non.

Les entailles dans la chair du poisson permettent de faire circuler aisément les différentes saveurs à l'intérieur de celui-ci, comme dans ces darnes de saumon marinées dans une sauce thaïe composée de piment, de zeste de citron, d'ail et de jus de citron vert (voir recette page 50).

Kebabs de poisson et de crustacés

Toutes les variétés de poisson ne sont pas susceptibles d'être cuisinées façon kebab, car la plupart se détachent facilement et tombent des brochettes lors de la cuisson au gril. Il faut choisir les poissons dont la chair est ferme, comme la lotte, le thon, le flétan ou encore le turbot. La plupart des crustacés sont composés de chairs assez fermes susceptibles de convenir à ce type de cuisson. Les plus appropriés restent les crevettes tigres, les langoustines et les coquilles Saint-Jacques.

Quelques conseils

- Les poissons et crustacés ne doivent jamais dégager d'odeur forte, mais sentir le bon air du large.

- Conservez votre poisson au frais, au réfrigérateur et faites-le griller le jour même de son achat.

- Nettoyez le poisson à l'eau avant de le préparer.

- Lorsque vous préparez des moules, des coquilles Saint-Jacques ou des palourdes, assurez-vous que les coquilles soient bien fermées. Sinon, tapez fortement avec le manche du couteau sur la coquille : si elles ne se ferment pas immédiatement, jetez-les sans hésitation. Jetez également les coquilles restées fermées après la cuisson.

- Après la préparation de poisson ou de crustacés crus, lavez-vous soigneusement les mains, ainsi que tous les ustensiles, planche à découper et surface de travail. Ces aliments crus ne sont pas obligatoirement contaminés, mais ils pourraient empêcher les saveurs des autres aliments de se développer.

Quoi de plus appétissant et de plus facile à préparer que du poisson grillé ?

Le choix des fruits de mer

■ **Les crevettes roses** peuvent être cuisinées décortiquées ou pas. Dans les deux cas, retirez l'intestin à l'aide d'une pique à cocktail, enlevez les têtes et jetez-les. Si vous ne décortiquez pas les crevettes, prenez un couteau bien aiguisé pour faire des incisions d'environ 5 mm dans la carapace le long du dos. Inversement, lorsque vous faites griller des crevettes roses sans carapace, commencez par les décortiquer et retirez l'intestin de la même façon. La manipulation des crevettes entières est plus simple pour la cuisson des brochettes sur la grille du barbecue.

■ **Les homards** doivent être coupés en deux dans le sens de la longueur avec un grand couteau de cuisine. Puis retirez et jetez l'intestin, situé le long de la queue. Faites craquer les pinces avec le manche du couteau. Cuisez-les sur le barbecue indirectement à allure moyenne, côté chair, pendant 30 secondes à 1 minute, de manière à les faire revenir dans leur jus. Puis retournez-les pour les faire griller environ 8 à 10 minutes, jusqu'à ce que la chair soit ferme et que la carapace se colore d'un beau rouge vif. Servez les queues de homard avec des quartiers de citron et des morceaux de beurre parfumé.

■ **Les moules et les palourdes** peuvent être réparties en portions de 450 g environ sur de larges feuilles de papier aluminium très résistant. Déposez sur chaque coquille le beurre, le vin et les herbes, et cuisez-les indirectement à allure moyenne jusqu'à ce qu'elles s'ouvrent. Éliminez les coquilles restées fermées.

■ **Les coquilles Saint-Jacques** doivent être ouvertes en glissant la lame d'un couteau pointu entre la coquille et le muscle, que vous devez sectionner. Éliminez la partie supérieure de la coquille. Nettoyez et retirez les petits volants grisâtres. Ne conservez que le corail et la noix. Placez le tout dans la demi-coquille. Les coquillages peuvent alors être placés directement sur la grille de cuisson pour cuire à allure moyenne pendant 6 à 8 minutes jusqu'à ce qu'ils soient tendres. Vous pouvez également retirer le corail et la noix des coquilles pour les piquer sur une brochette et les faire griller directement, en prenant soin de les badigeonner d'huile.

■ **Les huîtres** peuvent être préparées de la même manière que les coquilles Saint-Jacques dans leur demi-coquille. Néanmoins, le temps de cuisson ne sera que de 1 à 2 minutes, jusqu'à ébullition de leur jus. Les palourdes aux bords tranchants peuvent également être grillées de la sorte. (Voir page 36).

■ **Les calamars** ne sont pas à proprement parler des crustacés. On les classe néanmoins dans la même catégorie. Nettoyez la chair du mollusque avec un couteau et enfilez le calamar sur des brochettes pour éviter qu'il ne se racornisse.

Guide de cuisson des poissons et crustacés

Les produits de la mer destinés à être cuits au barbecue se décomposent en trois catégories : les filets de poisson, les poissons entiers et les crustacés. En règle générale, les filets coupés en petits morceaux (kebabs) et les crustacés peuvent être grillés directement. Il est préférable de cuire les poissons entiers indirectement, pendant le temps préconisé de la recette. Utilisez pour cela du papier aluminium très résistant, car le poisson dégage des sucs de cuisson importants. Cette méthode est recommandée pour les filets de poisson entiers, de saumon par exemple. Placez le poisson sur une feuille de papier aluminium très résistante et incurvez les bords de manière à créer une petite corbeille peu profonde autour du filet. Vous n'aurez pas besoin de retourner le poisson sur le barbecue.

La plupart des poissons peuvent être destinés à la cuisson au barbecue. Néanmoins, certains s'y prêtent plus que d'autres. Ainsi, vous ne pourrez pas placer des poissons comme la morue ou l'aiglefin sur des brochettes, qui seraient impossibles à retourner. Vous devrez placer ce genre de poisson sur une feuille de papier aluminium résistante, car il se désagrège et se détache facilement. De plus, le fait de griller directement le poisson sur le barbecue provoque des marques de charbon qui annihilent la plupart des saveurs.

Les poissons dépourvus de peau et d'arêtes se désagrègent très facilement (la lotte et le thon font exception car leurs chairs sont particulièrement fermes). Il faut donc toujours manipuler le poisson avec précaution et choisir la méthode de cuisson la plus adaptée. Badigeonnez la grille et le poisson d'huile avant de le faire griller. En général, on recommande un temps de cuisson de 4 à 5 minutes pour une épaisseur de 1,25 cm, de 8 à 10 minutes pour un pavé d'environ 5 cm.

Créer une petite corbeille de papier aluminium résistant permet de cuire de gros morceaux de poisson comme le saumon et permet de manipuler le poisson aisément sur la grille de cuisson, sans risquer de renverser le jus ou de le casser.

Temps de cuisson

Pour vous assurer de la parfaite cuisson d'un filet (habituellement à l'aide de la pointe d'un couteau, quand le centre de la tranche n'est plus translucide mais opaque), faites une petite entaille pour regarder. Avec un peu d'expérience, vous serez à même de vérifier en touchant simplement la chair du poisson, ce qui vous indiquera sa fermeté et vous renseignera sur la fin de la cuisson. Pour les crustacés, quelques minutes de cuisson sur le gril suffisent, si possible dans les coquilles, afin de retenir le jus de cuisson.

Type de poissons ou crustacés à griller	*Caractéristiques*	*Temps de cuisson*
Filets de poisson	1 cm	3-5 minutes
	2 cm	5-10 minutes
Darnes de poisson	2,5 cm	10-12 minutes
Kebabs de poisson	2,5 cm	8-10 minutes
Poissons entiers et filets	2,5 cm	8-10 minutes
	4 cm	10-15 minutes
	5-6 cm ou 500 g	15-20 minutes
	7,5 cm ou 500 g-1 kg	20-30 minutes
	ou 1-2 kg	30-45 minutes
Crabe	1,2 kg	10-12 minutes
Homard entier	900 g	18-20 minutes
Queues de homard	225-275 g	8-12 minutes
Crevettes (tigres, langoustines) non décortiquées	moyennes	4-5 minutes
	grosses	5-6 minutes
	très grosses	6-8 minutes
Crevettes (tigres, langoustines) décortiquées	1-2 minutes de moins que le temps ci-dessus	
Coquilles Saint-Jacques sans coquille	2,5-5 cm	4-6 minutes
Palourdes	moyennes	5-8 minutes
Huîtres	petites	3-6 minutes
Moules	moyennes	4-5 minutes

Saumon thaï
aux nouilles orientales

Gaz	Direct/Moyen	✳ ✳ ✳
Charbon	Direct	
Temps de préparation	25 min + 30 min de marinade	
Temps de cuisson	6-8 min	4 pers.

4 filets ou steaks de saumon d'environ 225 g

1 gousse d'ail écrasée

1 branche de citronnelle émincée finement

2 piments rouges égrainés et coupés en morceau

le jus de 1 citron vert

2 cuillères à soupe de sauce de poisson thaïe

4 cuillères à soupe d'huile de tournesol

Nouilles orientales
225 g de nouilles plates à base de farine de blé

2 cuillères à soupe d'huile d'arachide

2 cuillères à soupe d'huile de tournesol

1 gousse d'ail hachée

1 échalote hachée

1 piment rouge égrainé et finement coupé en lamelles

2 cuillères à soupe de sauce de poisson thaïe

le jus d'1 citron vert

1 cuillère à café de sucre roux

**1 chapelet de petits oignons primeurs finement
coupés en lamelles**

50 g de cacahuètes grillées grossièrement hachées

50 g de germes de soja

2 cuillères à soupe de coriandre fraîche hachée

1 Disposez le saumon dans un grand plat peu profond en
une seule couche. Dans un bol, mixez l'ail écrasé, la citronnelle,
le jus de citron, les piments coupés en lamelles, la sauce
de poisson thaïe et l'huile de tournesol. Versez cette sauce sur
le saumon, couvrez et laissez mariner dans un endroit frais
pendant 30 minutes.

2 Pour préparer les **nouilles orientales**, faites bouillir de l'eau
salée. Après ébullition, faites cuire les pâtes jusqu'à ce qu'elles
soient tendres. Égouttez-les et passez-les sous l'eau froide.
Égouttez-les à nouveau. Chauffez les huiles de tournesol et
d'arachide dans un wok. Ajoutez l'ail haché et l'échalote
pendant 1 à 2 minutes jusqu'à coloration. Ajoutez le piment,
la sauce de poisson, le jus de citron et le sucre. Remuez pendant
une trentaine de secondes, puis retirez du feu. Mélangez les
nouilles avec la moitié des petits oignons, les germes de soja,
la coriandre et les cacahuètes. Mettez-les de côté.

**Préparez tous les ingrédients destinés
à être mélangés avec les pâtes à la
dernière minute pour qu'ils conservent
saveur et fraîcheur.**

3 Retirez les tranches de saumon de la marinade.
Mettez-les à cuire sur le barbecue direct à allure moyenne
pendant 6 à 8 minutes, en les retournant une fois jusqu'à
ce qu'elles soient grillées.

4 Saupoudrez les nouilles de coriandre et du reste d'oignon.
Servez avec les steaks de saumon chauds.

Astuce

*Si vous ne trouvez pas de citronnelle, remplacez-la par
un zeste de citron dans la marinade. La saveur est similaire.
Vous pouvez également remplacer les nouilles thaïes
par du riz complet.*

Poisson entier
au beurre charmoula

Gaz	Direct/Moyen	✳✳✳
Charbon	Direct	
Temps de préparation 30 min		
Temps de cuisson	15 min 4 pers.	

Beurre charmoula
175 g de beurre doux
2 cuillères à soupe de coriandre fraîche hachée
3 gousses d'ail hachées finement
1½ cuillère à café de cumin moulu
1½ cuillère à café de paprika
½ piment rouge égrainé et haché
½ cuillère à café de safran
le zeste râpé de 1 citron
sel et poivre noir fraîchement moulu
4 poissons entiers d'environ 450 g
4 oignons primeurs émincés
1 cuillère à café de zeste de citron finement haché
quartiers de citron pour la présentation

1 Pour le **beurre charmoula**, prenez un grand bol dans lequel vous mettez le beurre doux, la coriandre, l'ail, le cumin, le paprika, le piment, le safran et le zeste de citron râpé. Assaisonnez le tout. Battez les ingrédients à l'aide d'une cuillère en bois afin d'obtenir un mélange bien homogène.

2 Nettoyez les poissons sous l'eau froide et ôtez les têtes à l'aide d'un couteau très tranchant. Enlevez les nageoires. Munissez-vous d'un couteau pointu pour faire 4 entailles assez profondes dans la chair des 2 côtés des poissons.

3 Disposez chaque poisson dans une large feuille de papier aluminium. Versez le beurre charmoula sur chaque poisson en veillant à ce qu'il pénètre bien dans les entailles. (Il n'est pas nécessaire de retourner le poisson pour cette opération.)

4 Divisez proprement le citron râpé en 8 morceaux égaux. Mettez-en 2 sur chaque poisson. Répartissez les oignons émincés et refermez bien les papillotes.

5 Placez les 4 papillotes sur la grille de cuisson du barbecue et faites cuire directement à allure moyenne pendant 12 à 15 minutes, jusqu'à ce que le poisson soit tendre. Disposez les papillotes sur les assiettes dressées avec les quartiers de citron. Laissez à chacun de vos convives le soin d'ouvrir sa part pour en apprécier le fumet exquis.

Crevettes à l'australienne
et brochettes de coquilles Saint-Jacques

Gaz	Indirect/Moyen	✳✳
Charbon	Indirect	
Temps de préparation	5 min	
Temps de cuisson	6-8 min	4 pers

175 g de condiment à la mangue
120 ml de jus d'orange
115 g de sauce barbecue douce et piquante
8 oignons grelots ou échalotes
8 gros morceaux d'ananas d'environ 2,5 cm
12 grosses crevettes crues décortiquées
12 grosses coquilles Saint-Jacques
8 tomates cerises
sel et poivre

1 Mettez 4 brochettes de bambou dans l'eau froide pendant 30 minutes. Disposez le condiment à la mangue, le jus d'orange et la sauce barbecue dans un robot ou un mixer. Mélangez jusqu'à obtenir une sauce onctueuse. Assaisonnez et réservez.

2 Mettez les oignons ou les échalotes dans une petite poêle et couvrez d'eau. Portez à ébullition et laissez mijoter pendant 1 minute. Égouttez et rincez immédiatement sous l'eau froide. Après refroidissement, pelez les oignons ou les échalotes.

3 Enfilez l'ananas, les crevettes, les coquilles Saint-Jacques, les tomates et les oignons ou échalotes sur les brochettes. Assaisonnez et badigeonnez largement avec la sauce mise en réserve. Faites cuire au barbecue indirect à allure moyenne pendant 6 à 8 minutes, jusqu'à ce que les coquilles Saint-Jacques et les crevettes soient tendres. Retournez les brochettes et badigeonnez-les à nouveau avec la sauce. Servez avec une petite soucoupe de sauce pour tremper les fruits de mer.

◀ *Astuce*

Le récipient adapté à la cuisson des poissons peut contenir la plupart des petits poissons entiers dont le poids est compris entre 350 à 450 g. Essayez cette recette avec la dorade, le bar, la brème, la truite, la sole ou encore le carrelet. Évitez les poissons gras et huileux comme le maquereau ou le hareng. Une fois les poissons vidés et nettoyés, supprimez les arêtes et les nageoires afin de faciliter l'épluchage du mets au moment du repas. Entailler plusieurs fois la chair du poisson permet une meilleure imprégnation du beurre parfumé.

Sardines grillées
au piment et au citron

Gaz	Direct/Moyen	☀
Charbon	Direct	
Temps de préparation	20 min + marinade	
Temps de cuisson	6-10 min	4 pers

4 cuillères à soupe d'huile d'olive
5 échalotes finement émincées
125 ml de vinaigre de vin blanc
2 gousses d'ail écrasées
1 grosse poignée de feuilles de menthe hachées
le jus et le zeste de 1 citron
1/2 cuillère à café de piment en petits morceaux
sel et poivre noir fraîchement moulu
675 g de sardines fraîches vidées
huile pour badigeonner

1 Faites chauffer une cuillère à soupe d'huile d'olive dans une poêle, ajoutez les échalotes et cuisinez le tout pendant 3 à 4 minutes jusqu'à ce qu'elles s'adoucissent. Ajoutez le vinaigre et portez à ébullition. Puis baissez le feu et laissez mijoter jusqu'à réduction de moitié.

2 Ajoutez le reste d'huile d'olive, l'ail, la menthe, le jus et le zeste de citron et le piment. Assaisonnez le tout. Faites cuire pendant 1 minute. Retirez du feu et mettez de côté.

3 Ôtez les nageoires et les queues (si vous le souhaitez), puis lavez soigneusement les poissons. Essorez-les dans un torchon de cuisine. Badigeonnez la grille de cuisson avec un peu d'huile. Assaisonnez les sardines et mettez-les à cuire sur le barbecue directement à allure moyenne pendant 4 à 10 minutes (voir ci-dessous), en les retournant une fois, jusqu'à ce qu'elles soient tendres. Disposez les sardines sur un joli plat, puis recouvrez-les d'échalotes, de piment et de citron.

Astuce

Le poids des sardines peut varier selon leur taille, ce qui modifie leur temps de cuisson. Pour des sardines de 5 à 10 cm, faites cuire de 4 à 6 minutes en retournant à mi-cuisson. Si vos sardines dépassent 20 cm, comptez 6 à 10 minutes, en les retournant à mi-cuisson.

Sardines grillées.

Crevettes en croûte de sel
sauce origan

Gaz	Direct/Moyen	☀
Charbon	Direct	
Temps de préparation	25 min	
Temps de cuisson	6-8 min	4 pers

Sauce origan
120 ml d'huile d'olive extra vierge
le jus de 1 citron
50 ml d'eau bouillante
2 gousses d'ail écrasées
1 cuillère à café d'origan séché
2 cuillères à soupe de persil frais haché

Crevettes en croûte de sel
500 g de grosses crevettes crues
3 cuillères à soupe d'huile d'olive
65 g de sel de mer

1 Pour la **sauce origan**, mélangez l'huile d'olive extra vierge avec le jus de citron et l'eau bouillante. Ajoutez l'ail, l'origan et le persil, puis mélangez le tout. Mettez de côté pendant 20 minutes afin d'en développer l'arôme.

2 Pendant ce temps, préparez les **crevettes**. Pour cela, prenez un petit couteau afin d'entailler l'enveloppe des crevettes tout le long du dos et d'ôter l'intestin. Ne les décortiquez pas.

3 Disposez les crevettes dans un bol large. Enduisez-les d'huile d'olive. Ajoutez le sel et mélangez bien, en vous assurant que chaque crevette est bien recouverte de sel. Enfilez 2 ou 3 crevettes en même temps sur des brochettes en bois, afin de faciliter la manipulation sur la grille de cuisson.

4 Faites cuire les crevettes au barbecue direct à allure moyenne pendant 6 à 8 minutes, en les retournant à mi-cuisson jusqu'à ce qu'elles soient tendres. Servez chaud, avec la sauce origan dans une petite soucoupe pour tremper les crevettes.

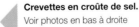

Crevettes en croûte de sel.
Voir photos en bas à droite
page 42 et page 46.

Filets de saumon
sauce crémeuse au basilic et à la menthe

Gaz	Direct/Moyen	✳ ✳
Charbon	Direct	
Temps de préparation	30 min	
Temps de cuisson	8 min	4 pers

25 g de feuilles de basilic frais
25 g de feuilles de menthe
200 ml d'huile d'olive
1 jaune d'œuf
1 cuillère à café de moutarde de Dijon
sel et poivre noir fraîchement moulu
le zeste râpé fin et le jus de 1 citron vert
2 cuillères à soupe de crème fraîche
4 filets de saumon d'environ 225 g avec leur peau
huile pour badigeonner

1 Faites bouillir une casserole d'eau et ajoutez les feuilles de menthe et de basilic pendant 15 secondes. Retirez-les pour les égoutter. Ôtez l'excédent d'eau dans un torchon de cuisine. Mettez les feuilles de menthe et de basilic avec l'huile d'olive dans un robot et mixez bien. Laissez infuser pendant 15 minutes.

2 Mettez dans un bol le jaune d'oeuf, la moutarde et l'assaisonnement nécessaire. Battez au fouet jusqu'à obtenir une émulsion onctueuse. Mélangez-la graduellement à l'huile d'olive parfumée à la menthe et au basilic, jusqu'à obtenir une préparation épaisse et onctueuse. Battez le tout avec le zeste râpé et le jus de citron, et mélangez enfin la crème fraîche. Placez cette sauce crémeuse au frais.

3 Badigeonnez les filets de saumon avec de l'huile. Faites-les cuire au barbecue direct à allure moyenne pendant 4 minutes. Commencez par cuire les filets côté peau sur la grille, retournez-les, remettez un peu d'huile et cuisez encore 4 minutes. Servez chaud avec la crème au basilic et à la menthe.

Steaks de poisson teriyaki
au riz sauvage

Gaz	Direct/Moyen	✳ ✳ ✳
Charbon	Direct	
Temps de préparation	25 min + 30 min de marinade	
Temps de cuisson	6 min	4 pers

3 cuillères à soupe de saké (alcool de riz japonais)
3 cuillères à soupe de vin de xérès sec
3 cuillères à soupe de sauce de soja foncée
1½ cuillère à soupe de sucre roux doux
4 steaks de poisson d'environ 175 à 200 g

Riz sauvage
sel
350 g de riz sauvage et de riz long grain
2,5 cm de gingembre frais
225 g de haricots verts mange-tout
1 chapelet de petits oignons nouveaux coupés en fines lamelles

1 Mettez le saké, le xérès, la sauce de soja et le sucre roux dans une petite poêle. Faites chauffer jusqu'à ce que le sucre fonde. Portez le tout à ébullition et retirez du feu. Laissez refroidir.

2 Disposez les steaks de la mer en une seule couche dans un plat peu profond. Versez dessus la sauce teriyaki froide. Couvrez et laissez mariner 30 minutes dans un endroit frais (pas le réfrigérateur). Retournez les steaks une fois.

3 Pendant ce temps, préparez le **riz**. Portez une grosse casserole d'eau salée à ébullition. Ajoutez le morceau de gingembre, le riz sauvage et le riz long grain. Vérifiez le temps de cuisson recommandé pour que le riz soit tendre. Coupez les haricots mange-tout en 3 ou 4 morceaux et faites-les cuire après ébullition de l'eau salée pendant 2 minutes. Égouttez-les et passez-les sous l'eau froide. Égouttez également le riz, ôtez le gingembre et jetez-le. Mélangez les oignons nouveaux avec les haricots verts et le riz chaud.

4 Sortez les steaks de la marinade et faites-les cuire au barbecue direct à allure moyenne pendant 5 à 6 minutes. Retournez-les à mi-cuisson et badigeonnez-les de sauce teriyaki. Servez avec le riz sauvage chaud.

Astuce

Cette recette s'adapte à la cuisson des poissons à chair ferme qui peuvent se découper sous forme de steaks : thon, espadon, saumon, turbot ou encore flétan. La lotte peut se cuisiner de cette façon si vous la découpez en gros morceaux épais que vous piquerez ensuite sur des brochettes.

En haut à gauche : **pavés de saumon.**

En haut à droite : **steaks de poisson teriyaki.**

À droite : **les steaks de poisson seront délicieux si vous les badigeonnez de sauce teriyaki pendant la cuisson au barbecue.**

À gauche : **une émulsion de persil et de menthe infusée accommodera délicatement la saveur du saumon grillé.**

Veillez à entailler les maquereaux en diagonale pour les farcir d'aneth. Si les entailles sont trop droites, le poisson risque de se décomposer à la cuisson.

Astuce

La préparation à base d'aneth, de câpres et de tomates est une recette traditionnelle scandinave. L'association de la tomate avec l'huile et le vinaigre procure un joli effet moucheté en accord avec les maquereaux grillés.

Maquereaux grillés
préparation à l'aneth

Gaz	Direct/Moyen	✳ ✳ ✳
Charbon	Direct	
Temps de préparation	40 min	
Temps de cuisson	12 min	4 pers.

4 maquereaux vidés
1 petit bouquet d'aneth frais
huile pour badigeonner

Préparation à l'aneth
1 citron en quartiers
2 cuillères à soupe d'huile d'olive
1 petit oignon haché
1 gousse d'ail écrasée
200 g de tomates coupées en morceaux
1 cuillère à café de sucre en poudre
4 cuillères à soupe de vinaigre de vin rouge
120 ml d'huile d'olive extra vierge
2 cuillères à soupe de ciboulette fraîche hachée
2 cuillères à soupe de câpres égouttées
sel et poivre fraîchement moulu

1 Nettoyez les maquereaux sous l'eau froide et coupez les nageoires. Pratiquez 4 entailles profondes sur chaque flanc. Farcissez les entailles de petits brins d'aneth. Réservez. Hachez et gardez le reste du bouquet d'aneth.

2 Pour la **préparation à l'aneth**, faites chauffer l'huile d'olive dans une petite poêle. Versez l'oignon et l'ail. Faites revenir le tout pendant 2 à 3 minutes pour faire ramollir. Ajoutez les tomates coupées en morceaux, puis faites mijoter pendant 10 à 15 minutes. Pendant ce temps, dans une autre poêle, mettez les 2 cuillères à soupe de vinaigre et le sucre. Faites bouillir le tout brièvement jusqu'à réduction de la valeur de 2 cuillères à café. Ajoutez à la préparation de tomates et remuez bien.

3 Tamisez les tomates, puis versez-les dans une autre poêle. Cuisinez-les pendant 1 à 2 minutes pour obtenir une sauce épaisse. Laissez reposer.

4 Mettez dans un bol 2 cuillères à soupe de vinaigre, l'huile d'olive, l'aneth haché, la ciboulette, le sel et le poivre. Battez bien. Incorporez la préparation à base de tomates et les câpres à la vinaigrette en remuant.

5 Badigeonnez les maquereaux d'un peu d'huile. Faites-les cuire au barbecue direct à allure moyenne pendant 10 à 12 minutes, jusqu'à ce qu'ils soient tendres. Retournez-les une fois à mi-cuisson. Servez chaud avec la préparation à l'aneth et un quartier de citron.

Moules grillées
au pastis et au beurre de fenouil

Gaz	Direct/Moyen	✷ ✷
Charbon	Indirect	
Temps de préparation	20 min	
Temps de cuisson	10-12 min	4 pers.

1,75 kg de moules
175 g de beurre doux
2 cuillères à soupe de pastis
1 cuillère à soupe de fenouil frais haché
1 cuillère à soupe de ciboulette fraîche hachée
2 gousses d'ail écrasées
quelques brins de fenouil pour la garniture

1 Lavez et grattez les moules sous l'eau froide. Retirez les barbes fibreuses très résistantes dépassant des coquilles. Jetez les moules ouvertes ainsi que celles qui sonnent creux. Réservez.

2 Prenez un grand bol et mettez-y le beurre, le pastis, le fenouil, la ciboulette et l'ail. Battez bien le tout.

3 Découpez 2 larges feuilles de papier aluminium très résistantes. Disposez-les l'une au-dessus de l'autre. Placez un quart des moules au milieu, puis ajoutez un petit morceau de beurre. Ramenez les côtés du papier aluminium autour des moules de manière à former une boule. Ramenez les bords vers le haut pour sceller la boule comme pour faire un petit paquet. Répétez l'opération avec le reste des moules et le beurre afin d'obtenir 4 paquets au total.

4 Disposez les paquets sur la grille de cuisson. Faites-les cuire indirectement au barbecue à allure moyenne pendant 10 à 12 minutes, jusqu'à ce que les moules s'ouvrent. (Jetez celles qui sont restées fermées.) Servez garni d'un brin de fenouil.

Petits gâteaux de crabe
sauce pimentée

Gaz	Direct/Moyen	✷ ✷
Charbon	Direct	
Temps de préparation	30 min + 1 h au frais	
Temps de cuisson	7-8 min	6 pers.

175 g de poisson à chair ferme (morue, colin ou aiglefin)
250 g de chair de crabe blanc frais ou en boîte
125 g de maïs doux égoutté
1 piment rouge égrainé et haché
2 oignons nouveaux finement hachés
2 cuillères à soupe de coriandre fraîche hachée
1 cuillère à soupe de sauce de poisson thaïe
1 œuf battu
sel et poivre fraîchement moulu
huile pour badigeonner

Sauce pimentée
6 cuillères à soupe de vinaigre d'alcool de riz
1 cuillère à café de sucre en poudre
1 piment oiseau (fort) tranché

1 Ôtez la peau et les arêtes du poisson. Coupez la chair en morceaux et mixez quelques secondes au robot jusqu'à obtenir une pâte. Versez-la dans un bol et mélangez avec le crabe en morceaux.

2 Ajoutez le maïs, le piment, les oignons nouveaux, la coriandre, la sauce de poisson et l'œuf. Assaisonnez avec le sel et le poivre. Mixez le tout en prenant bien soin de mélanger correctement les ingrédients.

3 Répartissez cette préparation dans 12 petits moules ronds d'environ 2 cm d'épaisseur. Placez les moules sur un plateau et mettez-les 1 heure au réfrigérateur pour raffermir.

4 Pendant ce temps, préparez la **sauce pimentée**. Pour cela, mélangez le vinaigre d'alcool de riz avec le sucre en poudre et le piment. Mettez de côté.

4 Badigeonnez les gâteaux avec de l'huile et faites-les cuire directement au barbecue à allure moyenne pendant 7 à 8 minutes, en les retournant une fois à mi-cuisson, jusqu'à ce qu'ils dorent. Servez-les agrémentés de sauce pimentée.

Petits gâteaux de crabe.

Volailles

Quoi de plus appétissant qu'un poulet, une dinde ou un canard bien dodu et croustillant ? Ces volailles qui s'adaptent à toutes les situations se préparent à l'aide de recettes issues des quatre coins du monde : du Mexique à l'Inde en passant par la douceur et la subtilité des saveurs chinoises et thaïlandaises.

Apportez une touche délicate à vos cuisses de poulet en les saupoudrant légèrement de poivre rouge avant de les cuire. Vous pouvez également faire mariner la volaille dans des épices aux mille saveurs aromatiques, ou faire griller un canard entier au barbecue, qui gardera sa saveur et son moelleux grâce à quelques astuces et tours de main.

Choisir une volaille

La première décision à prendre porte sur ce que vous allez cuisiner : volailles entières ou en morceaux, élevées au grain, en plein air, ou encore bio. Selon la recette choisie, vous devez vous poser les bonnes questions. Si la volaille est marinée dans des ingrédients à fortes saveurs, choisissez des morceaux moins onéreux. Si vous voulez simplement la faire griller ou l'accommoder de quelques aromates, l'accent doit être mis sur la qualité. De préférence, un poulet se cuisine avec la peau, ce qui permet au jus de cuisson de développer le bon goût et le moelleux de la viande blanche. Néanmoins, la peau n'est pas toujours indispensable : il suffit d'enduire la volaille de marinade ou d'un peu d'huile avant et pendant la cuisson. Pour la préparation de poulets entiers, d'ailes ou de cuisses, prenez soin de passer la volaille sous l'eau froide et séchez-la avec du papier absorbant.

Assaisonner le poulet et la dinde

Le poulet est apprécié par tous et possède de nombreux atouts. Il s'accommode de diverses façons et vous ne vous en lasserez jamais. On peut donc très facilement varier les plaisirs en le préparant de diverses manières. La marinade reste un classique facile à réaliser : il suffit d'enduire les entailles pratiquées dans la peau ou de laisser mariner les morceaux environ 30 minutes dans de l'huile aromatisée ou dans une préparation onctueuse. Ainsi se développent les saveurs subtiles des épices et des herbes fraîches. Le fait d'entailler les morceaux de volaille afin de les enduire de marinade devient un mode de cuisson de plus en plus utilisé. Pour cela, à l'aide d'un couteau tranchant, tracez des rainures sur les blancs, les pattes et les cuisses, puis enduisez-les largement avec la préparation pour favoriser la pénétration des saveurs. Le beurre peut s'utiliser également, mais possède l'inconvénient de brûler lors de la cuisson. Vous pouvez néanmoins vaporiser des beurres parfumés, qui permettent aussi d'aromatiser et de conserver le moelleux du blanc de poulet. Enfin, la dernière solution consiste à farcir la volaille avec des préparations à base d'agrumes, d'herbes à la saveur boisée ou encore d'oignon et d'ail.

Saveurs qui s'accordent avec le poulet et la dinde
Estragon ■ basilic ■ menthe ■ piment ■ citronnelle ■ thym ■ romarin ■ persil ■ yaourt ■ paprika ■ zeste de citron ■ feuilles de laurier ■ orange ■ citron ■ ail ■ gingembre ■ cidre ■ huile de sésame ■ safran ■ sauce de soja ■ vin de xérès.

Poulet avec os : Ailes, pilons, blancs

Les pilons et les blancs ne requièrent pas de préparation particulière. En revanche, coupez et retirez la petite partie à l'extrémité des ailes. Ensuite, coupez les ailes en deux à la section et mettez la face osseuse sur la grille de cuisson du barbecue. Faites-les cuire sur le barbecue indirectement, à allure moyenne, selon les temps de cuisson indiqués en page 66. Vérifiez toujours l'uniformité de la cuisson du poulet ou de la dinde en vous assurant qu'il ne reste plus de chair rosée, en particulier près des os.

Dinde et poulet désossés

Les blancs de dinde ou de poulet (d'environ 150 à 175 g) peuvent être façonnés sous forme d'escalopes sans peau, ce qui permet d'en garnir des sandwichs chauds. Pour cela, mettez un morceau de poulet ou de dinde entre deux feuilles de papier sulfurisé ou de film alimentaire. Frappez la viande au battoir ou étalez-la avec un rouleau à pâtisserie afin d'obtenir des tranches d'environ 1 cm d'épaisseur. Faites-les cuire au barbecue indirect, à allure moyenne, en suivant les temps de cuisson indiqués dans la recette.

Préparer une dinde ou un poulet pour la grillade

Retournez les ailes de manière à ce qu'elles se retrouvent sous l'animal. Retirez la peau du cou et enfilez une broche métallique pour maintenir le tout. Attachez les deux pattes ensemble avec du fil de coton. Massez la peau de l'animal avec de l'huile, des beurres parfumés ou encore de la marinade garnie d'herbes et d'épices.

Préparer un poulet ou des coquelets en crapaudine

Utilisez un sécateur à volaille ou un gros couteau de cuisine pour ouvrir les volatiles en crapaudine. Pour cela, coupez-les de chaque côté de l'échine. Enlevez complètement cette dernière et pressez les deux parties du tronc à plat avec la paume de la main. Embrochez-les sur deux piques que vous placerez en diagonale, en passant par le pilon, le blanc et l'aile, de manière à les maintenir bien à plat.

Découper la volaille

En découpant vos morceaux vous-même, vous économiserez à l'achat et vous pourrez cuisiner la viande qui reste autour de la carcasse.

1 Posez le poulet poitrine sur le dessus. Plantez un couteau entre la carcasse et la cuisse. Inclinez votre couteau vers l'intérieur et coupez dans l'articulation. Enlevez la cuisse entière. Faites de même pour la seconde.

2 Découpez les blancs le long de l'échine à l'aide d'un sécateur à volaille ou de gros ciseaux. Continuez la découpe et enlevez les ailes encore attachées. Coupez-en les extrémités.

3 Coupez les blancs en deux : l'un avec l'aile, l'autre sans. Divisez les cuisses et les pilons. Vous devez obtenir 8 morceaux : 2 pilons, 2 cuisses, 2 blancs avec les ailes et 2 blancs simples.

Kebabs de volaille

Les brochettes de volaille restent des incontournables, légères et faciles à cuisiner. Pour cela, coupez des morceaux ou des cubes d'environ 2,5 cm. Vous pouvez également découper la viande en petites bandes que vous plierez en accordéon sur la brochette. Cela se fait beaucoup pour les satays.

Préparer du canard ou de l'oie pour la grillade

Pour griller ce type de volaille, évacuez les graisses en piquant la peau sur tout le corps, et placez côté poitrine sur la grille de cuisson. N'oubliez pas de piquer la peau lors de la grillade. Si vous faites griller des morceaux de canard directement au barbecue, veillez à les dégraisser au maximum pour éviter une flambée soudaine.

Gibier à plumes : Faisan, bécasse, perdreaux

Ce gibier peut être cuisiné au gril, en le faisant cuire le plus simplement possible. On peut aussi ajouter une viande grasse comme du bacon autour de chaque morceau pour éviter que la viande ne se dessèche.

Quelques conseils

- Au réfrigérateur, mettez la volaille crue et la volaille cuite dans des récipients bien distincts.
- Par temps chaud, décongelez toujours la volaille dans la partie réfrigérateur.
- Lavez-vous les mains et nettoyez les ustensiles, la planche à découper et la surface de travail après chaque manipulation de volaille crue.
- N'utilisez jamais pour la viande cuite la planche à découper, les ustensiles ou la vaisselle qui ont servi à cuisiner la viande crue.
- Faites bien cuire la viande blanche. Vérifiez-en la cuisson avec un thermomètre à viande ou un couteau que vous glisserez vers l'intérieur des cuisses. La fin de la cuisson est proche quand le jus devient clair et qu'il n'y a plus de traces de sang.

Guide de cuisson de la volaille

Volailles entières ou découpées

Faites cuire les morceaux contenant encore les os côté chair sur le dessus, pendant le temps indiqué, jusqu'à ce que la couleur devienne uniforme, sans traces rosées. Faites cuire les volailles entières poitrine sur le dessus. Vous pouvez faire griller les morceaux de volaille avec la peau sur le dessus : cela permet au jus de pénétrer dans la viande. Vous pourrez retirer la peau après la cuisson si vous le souhaitez. Si vous prévoyez de servir la volaille avec la peau, vous pouvez la faire saisir rapidement pendant 2 minutes, puis continuer la cuisson normalement en retournant les morceaux. Il existe cependant une exception pour la cuisson des magrets de canard, qui doivent absolument être cuits côté peau en dessous pour éviter que la viande ne soit trop grasse.

Type de volaille à griller	Poids	Temps de cuisson	Température
Poulet entier	1,5-1,75 kg	1-1½ heures	85 °C
Demi-poulet (avec os)	675-800 g	1-1¼ heures	85 °C
Demi-blancs de poulet (avec os)	225 g	30-35 minutes	85 °C
Demi-blancs de poulet (sans os)	115-175 g	10-12 minutes	85 °C
Pilons/cuisses de poulet	115-175 g	35-45 minutes	85 °C
Ailes de poulet	75 g	30 minutes	85 °C
Coquelet entier	350-450 g	45-60 minutes	85 °C
Dinde entière (non farcie)	5,5-7 kg	2-3 heures	85 °C
(Prévoir 22 à 26 min par kg)	7,25-12,5 kg	3-4 heures	85 °C
Blancs de dinde (avec os)	1,5 kg	1-1½ heures	85 °C
Pilons/cuisses de dinde	450-675 g	¾-1¼ heures	85 °C
Canard entier	1,75 kg	1½-2 heures	85 °C
Magrets de canard	225 g env.	11-15 minutes	85 °C
Faisan entier	900g-1,2 kg	40-45 minutes	85 °C
Oie entière	5,5-7 kg	3 heures	85 °C

À droite : **dinde entière, cuite de manière indirecte, revêtue d'une jolie couleur ambrée, sans arrosage préalable ni pendant la cuisson.**

Poulet et dinde sans os

Disposez les morceaux de poulet ou de dinde sur la grille de cuisson et faites-les griller de manière indirecte sur le barbecue à allure moyenne. Tous les temps de cuisson du tableau sont donnés à titre indicatif : vérifiez que la viande n'est plus rosée et que le jus de cuisson s'est clarifié.

Type de volaille à griller	*Poids ou taille*	*Temps de cuisson*	*Température*
Blancs de poulet	115-150 g	10-12 minutes	75 °C
Kebabs de poulet	morceaux de 2,5 cm	10-12 minutes	75 °C
Hamburgers de poulet	1,5 cm d'épaisseur	10-12 minutes	75 °C
Escalopes de dinde	0,5-10 cm	5-8 minutes	75 °C
Kebabs de dinde	morceaux de 2,5 cm	12-15 minutes	75 °C
Blancs de dinde	1.8 kg	1 heure	75 °C

Lorsque vous achetez du gingembre frais, prenez celui dont la peau se détache facilement : c'est un gage de fraîcheur.

Morceaux de poulet épicés
façon tandoori

Gaz	Indirect/Moyen	☀
Charbon	Indirect	
Temps de préparation	15 min + 8 h de marinade	
Temps de cuisson	1 h 10 min	6 pers.

500 g de yaourt nature
1 morceau de 2,5 cm de gingembre frais râpé
3 gousses d'ail écrasées
2 cuillères à café de paprika
2 cuillères à café de sel
1 ½ cuillère à café de cannelle moulue
1 cuillère à café de cumin moulu
1 cuillère à café de coriandre moulue
poivre noir fraîchement moulu
1/4 cuillère à café de clous de girofle moulus
1,5 kg de morceaux de poulet avec la peau
huile pour badigeonner
quartiers de citron vert pour la présentation

1 Mettez le yaourt dans un grand bol. Ajoutez le gingembre, l'ail, le paprika, le sel, la cannelle, le cumin, la coriandre, le poivre et les clous de girofle. Mélangez soigneusement le tout. Mettez de côté.

2 Prenez un couteau tranchant et pratiquez 2 ou 3 entailles sur chaque morceau de poulet. Enduisez-les de marinade, en passant bien sur les entailles. Couvrez le plat et placez-le au réfrigérateur pendant au moins 8 heures.

3 Enduisez la grille de cuisson d'un peu d'huile. Sortez les morceaux de poulet de la marinade. Faites-les griller sur le barbecue de manière indirecte, à allure moyenne, pendant 1 heure à 1 heure 10. Retournez-les une fois à mi-cuisson et laissez-les cuire jusqu'à ce qu'ils soient tendres. Assaisonnez et servez chaud avec les quartiers de citron vert. Dégustez le poulet tandoori avec du pain naan tiède.

Escalopes de dinde

aux petits oignons caramélisés et à la moutarde

Gaz	Direct/Moyen	
Charbon	Direct	☀
Temps de préparation	30 min	
Temps de cuisson	10 min	4 pers.

6 cuillères à soupe d'huile d'olive
2 oignons rouges émincés finement
1 cuillère à soupe de sucre
50 ml de vin blanc sec
3 ½ cuillères à soupe de moutarde de Dijon
1 gousse d'ail écrasée
sel et poivre noir fraîchement moulu
2 cuillères à soupe de mayonnaise
4 escalopes de dinde
1 pain ciabata
une poignée de feuilles de roquette

1 Faites chauffer de l'huile dans une poêle. Mettez-y les petits oignons et le sucre. Faites dorer le tout pendant une quinzaine de minutes. Ajoutez le vin blanc et portez à ébullition pour faire réduire la préparation. Mettez de côté et laissez refroidir.

2 Mixez le reste d'huile d'olive avec 1½ cuillère à soupe de moutarde, l'ail écrasé et la mayonnaise. Assaisonnez et réservez quelques minutes.

3 Coupez la tranche de pain ciabata en deux. Réservez.

4 Faites cuire les escalopes de dinde en mode direct pendant 4 à 5 minutes. Badigeonnez-les sur toutes les faces avec la préparation d'huile d'olive et de moutarde. Laissez cuire à nouveau pendant 2 à 3 minutes, jusqu'à ce que les escalopes soient tendres.

5 Faites griller la partie interne des tranches de ciabata sur le gril pendant 1 à 2 minutes. Étalez la préparation de moutarde et de mayonnaise sur chacune des faces du pain grillé. Posez-y l'escalope de dinde. Recouvrez de petits oignons caramélisés et de quelques feuilles de roquette.

Astuce

Si vous ne disposez pas d'escalopes de dinde toutes prêtes, vous pouvez les réaliser vous-même très simplement. Prenez 150 g de blanc de dinde par personne. Mettez chaque morceau entre deux feuilles de papier alimentaire. Utilisez un rouleau pour compresser la viande et obtenir de belles escalopes d'environ 5 mm d'épaisseur.

Ci-dessus : **escalopes de dinde.**

Les oignons rouges, lorsqu'ils sont caramélisés, exhalent leur saveur et accompagnent divinement les escalopes de dinde.

Dinde farcie
au thym et à l'orange

Gaz	Indirect/Moyen	✳ ✳ ✳
Charbon	Indirect	
Temps de préparation	30 min	
Temps de cuisson	2-3 h	10–12 pers.

1 cuillère à café de graines de coriandre

225 g de beurre ramolli

2 grosses oranges

1 grosse branche de thym

1 dinde de 4,5 à 5,5 kg prête à cuire

3 feuilles de laurier

2 cuillères à soupe d'huile d'olive

sel et poivre noir fraîchement moulu

1 Mettez les graines de coriandre dans un mortier et pilez-les pour obtenir une poudre très fine. Faites chauffer cette poudre à sec pendant 1 à 2 minutes dans une poêle à frire pour en développer les saveurs. Laissez refroidir.

2 Mettez le beurre ramolli dans un bol avec la coriandre et battez le tout. Incorporez le zeste des oranges et réservez les fruits. Ajoutez 2 cuillères à soupe de feuilles de thym. Battez le tout jusqu'à obtenir une préparation onctueuse. Assaisonnez et réservez.

3 Décollez la peau de la dinde en commençant par celle du cou. Descendez, en vous aidant de vos doigts, pour décoller la poitrine et les cuisses. Passez vos doigts entre la chair et la peau en prenant bien soin de ne pas déchirer cette dernière. Massez ensuite la chair de la dinde sur la poitrine et les cuisses avec le beurre ramolli jusqu'à épuisement.

4 Coupez les oranges en deux et farcissez la dinde avec les fruits, les feuilles de laurier et les feuilles de thym. Attachez ensemble les deux pattes. Badigeonnez entièrement d'huile d'olive et assaisonnez bien.

5 Placez la dinde sur la grille de cuisson et faites-la cuire sur le barbecue de manière indirecte, à feu moyen, pendant 2 heures et demie à 3 heures (26 minutes par kg). Vous pouvez également la cuire à la broche en piquant dans la partie la plus épaisse des cuisses, jusqu'à ce que le jus de cuisson devienne clair. La température interne des cuisses doit avoisiner les 170 °C.

6 Mettez la dinde sur une planche et attendez une vingtaine de minutes avant de la découper.

Dinde.
Voir photo page 67.

Brochettes de fajitas au poulet
au guacamole

Gaz	Indirect/Moyen	✳ ✳
Charbon	Indirect	
Temps de préparation	35 min + 30 min de marinade	
Temps de cuisson	12-14 min	4 pers.

3 cuillères à soupe d'huile d'olive

1 gousse d'ail écrasée

½ cuillère à café de cumin moulu

½ cuillère à café de coriandre moulue

1 cuillère à café de piment en poudre

sel et poivre noir fraîchement moulu

4 blancs de poulet sans peau

1 poivron rouge

1 poivron vert

1 oignon

Guacamole et sauce pimentée

2 avocats mûrs mais fermes

le jus de 1 citron vert

1 gros piment rouge égrainé et haché finement

6 oignons nouveaux hachés finement

3 tomates pelées épépinées et coupées en cube

3 cuillères à soupe de coriandre fraîche hachée

1 Mettez l'huile d'olive, la gousse d'ail, le cumin, la coriandre hachée et le piment en poudre dans un grand bol. Assaisonnez et mélangez soigneusement. Coupez les blancs de poulet en morceaux et plongez-les dans cette marinade. Mélangez bien et laissez reposer 30 minutes à température ambiante. Profitez-en pour faire tremper vos brochettes de bambou dans l'eau froide pendant 30 minutes.

2 Coupez les poivrons en deux et retirez les pépins afin de les détailler en petits morceaux. Découpez également les oignons en 8 parts égales.

3 Sur les brochettes, piquez alternativement les morceaux de poulet, le poivron rouge et vert, puis les oignons. Enduisez ensuite les poivrons et les oignons du reste de la marinade.

4 Faites cuire au barbecue indirectement, à feu moyen, pendant 12 à 14 minutes, jusqu'à ce que les brochettes deviennent tendres.

5 Pendant la cuisson, préparez le **guacamole**. Pour cela, coupez, pelez et dénoyautez les avocats. Coupez-les en petits dés et mettez-les dans un bol. Ajoutez le jus de citron vert, le piment rouge, les oignons nouveaux, les tomates en cube et la coriandre. Mélangez doucement pour que les dés d'avocat se fondent avec le jus de citron.

6 Servez les brochettes chaudes avec le guacamole pimenté.

Brochettes de fajitas au poulet.
Voir photo en haut à gauche page 62.

Passez soigneusement le pinceau enduit de la préparation de coriandre et de gros poivre. N'oubliez pas les jointures des ailes et des cuisses : cela parfumera agréablement le poulet entier.

Poulet parfumé
au citron ou à la menthe

Gaz	Indirect/Moyen	✳ ✳
Charbon	Indirect	
Temps de préparation	20 min	
Temps de cuisson	1¼ h	4 pers.

1 citron

50 g de sucre en poudre

1 poulet fermier de 1,5 kg

1 branche de citronnelle ou de menthe

1 cuillère à café de poivre noir en grains

1 cuillère à café de graines de coriandre

2 cuillères à soupe d'huile d'olive

½ cuillère à café de sel

1 Découpez le citron en fines tranches. Portez de l'eau à ébullition pour blanchir les tranches de citron pendant 2 minutes. Égouttez-les bien et passez-les sous l'eau froide. Dans une casserole, faites bouillir 150 ml d'eau avec le sucre en poudre. Ajoutez les tranches de citron préalablement blanchies et faites mijoter à petit feu pendant une dizaine de minutes. Retirez du feu et laissez refroidir.

2 Pendant ce temps, préparez le poulet. Décollez la peau, à l'aide de vos doigts, en la soulevant délicatement sur la poitrine et les cuisses. Rincez alors les tranches de citron et glissez-les entre la peau et la chair. Ajoutez les branches de citronnelle ou de menthe.

3 Mettez les graines de coriandre et le poivre en grains dans un mortier. Écrasez grossièrement. Mélangez le tout avec l'huile d'olive, salez puis badigeonnez le poulet de cet onguent. Placez la volaille sur la grille de cuisson et faites-la cuire indirectement, à allure moyenne, pendant 1 heure à 1¼ heure, jusqu'à ce que le jus de cuisson soit clair et que la température interne avoisine les 170 °C.

Blancs de poulet grillés
aux trois sauces chinoises

Gaz	Direct/Moyen	
Charbon	Direct	✳
Temps de préparation	25 min + 30 min de marinade	
Temps de cuisson	10-12 min	4 pers.

1 échalote émincée finement
1 gousse d'ail écrasée
4 cuillères à soupe d'huile d'olive
4 blancs de poulet sans peau

Sauce de soja au gingembre
1 cuillère à café de gingembre frais râpé
4 cuillères à soupe de sauce de soja
1 cuillère à soupe d'huile de tournesol
1 pincée de sucre en poudre

Sauce aux oignons nouveaux
1 gousse d'ail écrasée
4 oignons nouveaux hachés finement
3 cuillères à soupe d'huile de tournesol
1 cuillère à café de gingembre frais râpé
3 cuillères à soupe de sauce de soja claire
1 cuillère à soupe de vin de xérès sec
1 cuillère à café d'huile de sésame

Sauce pimentée
3 cuillères à soupe de vinaigre d'alcool de riz
½ cuillère à café de sucre en poudre
1 piment oiseau (fort) coupé en tranches

poivre du Sichuan écrasé
gros sel

1 Commencez par réaliser la marinade en mélangeant dans un bol la gousse d'ail et l'huile d'olive. Déposez ensuite les blancs de poulet dans la préparation, couvrez et laissez mariner pendant 30 minutes à température ambiante.

2 Pendant ce temps, préparez les trois sauces chinoises. Pour la **sauce de soja**, tamisez le gingembre frais dans un bol. Ajoutez la sauce de soja sombre, l'huile de tournesol et le sucre en poudre. Mélangez bien et mettez de côté.

3 Pour la **sauce aux oignons nouveaux**, mélangez la gousse d'ail, les oignons nouveaux et le gingembre râpé dans un bol. Faites chauffer l'huile de tournesol dans une petite casserole. Une fois qu'elle est bien chaude, versez-la sur la préparation aux oignons. Ajoutez la sauce de soja claire, le xérès et l'huile de sésame. Mélangez bien le tout et réservez.

De gauche à droite : **gros sel, sauce de soja au gingembre, sauce aux oignons nouveaux, sauce pimentée, grains de poivre du Sichuan.**

4 La **sauce pimentée** est un mélange de vinaigre d'alcool de riz, de sucre et de fines tranches de petits piments.

5 Retirez les blancs de poulet de la marinade. Faites-les cuire directement sur le barbecue, à allure moyenne, pendant 10 à 12 minutes, en les retournant une fois à mi-cuisson, jusqu'à ce qu'ils soient bien dorés.

6 Placez les trois sauces, le poivre du Sichuan et le gros sel dans des petits ramequins disposés au centre de la table. Découpez les blancs de poulet en tranches et servez chaud. Les convives peuvent varier les plaisirs en goûtant aux différentes saveurs.

Hamburgers de poulet
sauce au bleu

Gaz	Direct/Moyen	✳ ✳
Charbon	Direct	
Temps de préparation	30 min + réfrigération	
Temps de cuisson	15 min	4 pers.

500 g de blanc de poulet en petits morceaux ou 450 g de poulet haché

6 tranches de bacon entrelardé sans peau

1 cuillère à café d'huile d'olive

1 gousse d'ail écrasée

1 échalote hachée finement

2 cuillères à soupe d'estragon frais haché grossièrement

50 g de miettes de pain blanc frais

Mayonnaise au bleu

1 jaune d'œuf

1 cuillère à café de moutarde de Dijon

150 ml d'huile d'olive

1 cuillère à café de vinaigre de vin blanc

75 g de bleu

sel et poivre

1 cuillère à soupe de ciboulette hachée

4 gros pains pour hamburgers

1 Coupez les morceaux de poulet et mettez-les dans un mixer. Prenez deux tranches de bacon, coupez-les en morceaux et ajoutez-les au poulet. Hachez le tout grossièrement. Faites chauffer l'huile d'olive dans une poêle et mettez-y l'ail et l'échalote. Cuisinez pendant 1 à 2 minutes, jusqu'à ce que les ingrédients s'adoucissent. Laissez refroidir hors de la poêle et retirez l'excès d'huile.

2 Prenez la viande. Incorporez l'ail et l'échalote, puis l'estragon et les miettes de pain. Assaisonnez et mélangez soigneusement. Divisez la préparation en 4 portions. Mettez un peu de farine sur vos mains et créez 4 petites galettes assez épaisses adaptées à la forme des pains. Placez le tout au réfrigérateur pendant 30 minutes.

3 Pour la **mayonnaise au bleu**, battez le jaune d'œuf, la moutarde, le vinaigre et l'assaisonnement nécessaire, jusqu'à obtention d'une émulsion onctueuse. Incorporez délicatement l'huile d'olive en continuant à remuer. Émiettez le fromage et incorporez-le petit à petit dans la mayonnaise. Ajoutez la ciboulette et placez au réfrigérateur.

4 Faites griller le bacon pendant 8 à 10 minutes, jusqu'à ce qu'il soit croquant. Mettez de côté. Badigeonnez la grille de cuisson d'huile et faites cuire les galettes de viande directement, à allure moyenne, pendant 15 minutes, en les retournant une fois à mi-cuisson.

5 Faites griller les pains sur le gril. Placez une grosse feuille de salade sur la partie inférieure. Mettez ensuite la viande, une bonne cuillère de mayonnaise et la tranche de bacon. Couvrez avec la partie supérieure.

Cuisses de poulet farcies
et poivrons rouges grillés

Gaz	Direct/Moyen	☀
Charbon	Indirect	
Temps de préparation	15 min	
Temps de cuisson	35-45 min	4 pers.

20 g de coriandre fraîche

25 g de basilic frais

40 g de parmesan frais râpé

4 cuisses de poulet

4 poivrons rouges

sel et poivre

1 Placez la coriandre, le basilic et le parmesan dans le bol d'un mixer. Hachez le tout finement.

2 Dégraissez les cuisses de poulet, puis décollez la peau en passant vos doigts le long du pilon. Glissez la préparation de coriandre sous la peau de manière régulière. Salez et poivrez.

3 Placez les cuisses de poulet et les poivrons rouges sur la grille de cuisson. Faites-les cuire au barbecue indirectement, à allure moyenne, pendant 20 minutes, en retournant les poivrons à mi-cuisson.

4 Retirez les poivrons rouges. Retournez les cuisses de poulet et continuez la cuisson pendant 20 à 25 minutes, de manière à ce que la viande soit tendre et le jus de cuisson clair.

5 Pendant ce temps, pelez les poivrons rouges et videz-les. Réservez le jus. Lorsque les cuisses de poulet sont cuites, retirez-les du barbecue et laissez-les reposer 5 minutes. Arrosez-les avec le jus de réserve et servez chaud avec les poivrons grillés.

Le fait de disposer les brochettes en diagonale permet une meilleure tenue des coquelets à l'application du glaçage et à la cuisson. Il faut appliquer le glaçage rapidement pour éviter de fortes déperditions de chaleur lors de la cuisson au barbecue.

Coquelets à la crapaudine
glaçage à la pomme

Gas	Indirect/Moyen	☀ ☀
Charbon	Indirect	
Temps de préparation	15 minutes	
Temps de cuisson	45 minutes	**4 pers.**

4 coquelets

Glaçage à la pomme
150 ml de pur jus de pomme
55 g de sucre roux non raffiné
1 cuillère à soupe de vinaigre de cidre
2 cuillères à soupe de ketchup
le zeste de 1 orange
sel et poivre noir fraîchement moulu

1 Plongez 8 brochettes de bambou dans l'eau froide pendant 30 minutes. Afin de retirer leur colonne vertébrale, disposez-les coquelets le dos devant vous. Découpez les coquelets de chaque côté de la colonne avec des gros ciseaux de cuisine. Retirez la partie osseuse. Ouvrez les carcasses et aplatissez-les. Rabattez les pattes et les ailes le long du corps. Pour que les coquelets restent plats, embrochez-les sur deux piques en diagonale, en passant par le pilon, le blanc et l'aile.

2 Pour le **glaçage**, prenez une poêle dans laquelle vous porterez à ébullition le jus de pomme, le sucre et le vinaigre. Faites réduire de moitié. Mélangez cette préparation avec le ketchup et le zeste d'orange. Assaisonnez et mixez bien le tout.

3 Disposez les coquelets dans un large plat et recouvrez-les de glaçage. Badigeonnez-les soigneusement, puis soulevez-les pour laisser le glaçage se répandre.

4 Enduisez la grille de cuisson d'un peu d'huile. Faites cuire les coquelets en mode indirect, à feu moyen, pendant 45 à 50 minutes. Badigeonnez la volaille avec le glaçage toutes les 15 minutes environ. Les coquelets sont prêts quand le jus est clair et que la température interne de la partie la plus épaisse des cuisses atteint 80 °C. Servez avec une salade waldorf (voir page 139).

Magrets de canard à l'orange
sauce au vin

Gaz	Direct/Doux	✳ ✳
Charbon	Direct	
Temps de préparation	15 min + 1 h de marinade	
Temps de cuisson	15 min	**4 pers.**

4 magrets de canard

le zeste et le jus de 1 grosse orange

1 gousse d'ail écrasée

1 échalote hachée finement

1 feuille de laurier

240 ml de vin rouge

2 cuillères à soupe de vinaigre balsamique

1 cuillère à café de sucre

sel et poivre noir du moulin

3 cuillères à soupe de gelée de groseille

1 Dégraissez le bord des magrets (voir ci-dessous).
Sur la peau, tracez au couteau des diagonales sans entailler
la chair. Placez-les ensuite dans un grand plat sans les empiler.
Frottez le zeste d'orange sur les entailles. Dans le plat,
dispersez l'ail et l'échalote, ajoutez la feuille de laurier
et versez le jus d'orange et le vin rouge sur les magrets.
Laissez mariner pendant environ 1 heure.

2 Sortez les magrets et égouttez-les bien. Versez le reste de la
marinade dans une petite poêle. Ajoutez le vinaigre balsamique et
le sucre. Portez à ébullition, puis faites mijoter et laissez réduire de
moitié. Passez la sauce au tamis au-dessus d'une autre poêle.
Assaisonnez et mélangez avec la gelée de groseille. Faites chauffer
pendant 1 à 2 minutes, jusqu'à obtenir un léger épaississement.

3 Pendant ce temps, déposez les magrets côté peau sur la grille
de cuisson et faites-les cuire au barbecue direct à allure douce.
Laissez-les environ 7 à 8 minutes, jusqu'à ce qu'ils dorent.
Retournez-les et laissez-les encore 6 à 7 minutes, de manière
à obtenir une chair bien ferme au toucher. (Ajoutez 3 à 4 minutes
pour parfaire la cuisson.) Découpez les magrets en tranches
et servez avec la sauce chaude.

Astuce

*Le canard est une viande très grasse. C'est la raison pour
laquelle il est important de supprimer le surplus de graisse,
pour éviter que la viande ne prenne feu. Si cela arrive,
retirez les magrets quelques secondes de manière
à éteindre les flammes, puis reprenez la cuisson.*

Magrets de canard
marinés à l'indonésienne

Gaz	Indirect/Moyen	✳ ✳	
Charbon	Indirect		
Temps de préparation	10 min + 24 h de marinade		
Temps de cuisson	10 min		4 pers.

4 magrets de canard
4 cuillères à soupe de sauce de soja
2 cuillères à soupe de miel
1 cuillère à soupe de graines de sésame grillées
3 gousses d'ail écrasées
50 ml de bouillon de poulet
1 cuillère à café de sauce hoisin
1½ cuillère à café de farine de maïs
1 cuillère à soupe de saké (alcool de riz japonais)
2 oignons nouveaux hachés finement
riz ou nouilles pour accompagner

1 Sur la peau des magrets, tracez au couteau des diagonales d'environ 3 mm d'épaisseur. (Les diagonales qui s'entrecroisent créent des losanges qui aident à l'écoulement du jus graisseux.) Ôtez le surplus de graisse sur les bords. Mettez la viande de côté.

2 Mélangez la sauce de soja, le miel, les graines de sésame et l'ail. Placez les magrets dans un grand plat, versez le mélange dessus et enduisez-les bien de chaque côté. Couvrez et placez au réfrigérateur pendant 24 heures en retournant la viande de temps en temps.

3 Retirez les magrets et conservez la marinade. Posez votre viande côté peau au centre de la grille de cuisson. Faites cuire au barbecue indirect, à allure modérée, pendant 10 minutes, en retournant les magrets une fois à mi-cuisson. Sortez-les du barbecue et laissez-les reposer 5 minutes.

4 Pendant ce temps, mettez le bouillon de poulet, la sauce hoisin et le reste de marinade dans une petite poêle. Portez à ébullition, puis faites cuire lentement à petit feu. Dans un bol, mélangez la farine et le saké, de manière à obtenir une préparation onctueuse. Versez-la dans la poêle et remuez jusqu'à épaississement (pendant 1 à 2 minutes).

5 Découpez les magrets en biais et recouvrez-les de sauce. Répandez les petits oignons nouveaux et servez accompagné de riz ou de pâtes.

Canard croustillant
à la poire et au chutney de kumquat

Gaz	Indirect/Moyen	✳ ✳	
Charbon	Indirect		
Temps de préparation	15 min		
Temps de cuisson	2 h		4 pers.

1 canard prêt à cuire d'environ 1,75 kg
1 cuillère à soupe de gros sel
sel et poivre noir du moulin

Chutney de kumquat et de poire
1 cuillère à soupe d'huile d'olive
2 poires mûres et fermes
8 kumquats
1 oignon haché grossièrement
1 bâton de cannelle
quelques brins de thym
1 feuille de laurier

1 Pour le **chutney**, commencez par peler et évider les poires. Découpez-les grossièrement dans un bol. Coupez les kumquats en deux et ajoutez-les.

2 Faites chauffer l'huile dans une poêle. Ajoutez les oignons et le bâton de cannelle. Faites cuire doucement, pendant 4 à 5 minutes, jusqu'à ce que les ingrédients s'adoucissent. Augmentez le feu et ajoutez les poires, les kumquats, le thym et le laurier. Faites cuire encore 2 à 3 minutes. Retirez du feu et laissez refroidir.

3 Videz le canard de ses abats. Ôtez le surplus de graisse de la cavité. Mettez la préparation de poire et de kumquat dans les entrailles de la volaille.

4 Prenez une brochette pour transpercer de plusieurs trous les blancs et les pattes de la volaille. Saupoudrez de gros sel. Placez la viande sur la grille de cuisson et faites-la cuire au barbecue indirect, à allure moyenne, pendant 2 heures. Percez la peau du canard toutes les 30 minutes pour permettre l'évacuation du jus graisseux. Le canard est cuit lorsque le jus de cuisson devient clair. Laissez reposer une quinzaine de minutes avant de découper.

5 Retirez la farce des entrailles du canard et disposez-la dans un joli plat de service en enlevant le laurier et le thym. Assaisonnez le tout et servez chaud avec le canard.

Astuce

Goûtez la farce avant de la servir. Si elle est un peu trop âpre, ajoutez une bonne pincée de sucre. En effet, la saveur dépend de la douceur des poires et du piquant des kumquats.

Viandes

La viande est le plat que l'on affectionne tout particulièrement au barbecue. Il ne faut cependant pas se limiter aux saucisses, aux steaks et aux brochettes de bœuf. De nombreuses recettes de viandes grillées permettent de cuisiner des pièces aussi diverses et savoureuses que les côtes d'agneau, les filets de porc et le jambon à cuire. Ces morceaux présentent des fumets typiques qui s'expriment subtilement à la cuisson au barbecue.

Vous allez pouvoir essayer des recettes surprenantes : le jambon grillé glacé à l'orange et à l'abricot, le porc Char-sui et sa sauce aux prunes, ou encore, dans un registre plus classique : le boudin blanc au chou rouge mariné, ou les steaks au poivre sauce au cognac.

Choisir la viande

Lorsque vous souhaitez acheter du bœuf ou du mouton, le premier réflexe à avoir est de bien regarder la viande. Préférez les morceaux qui présentent une bonne marbrure (due aux minuscules veines de graisse qui sillonnent la viande). C'est ce qui va donner à la viande sa saveur, d'autant plus que vous allez enlever l'excès de graisse sur le pourtour afin d'éviter qu'elle ne prenne feu lors de la cuisson au barbecue. Les pièces de bœuf doivent être colorées d'un beau rouge vif et le mouton d'un rouge plus terne. La chair de la viande de porc ou de veau est d'un rose pâle sans marbrure ; tandis que la graisse est lisse pour le porc, celle du veau doit être blanc rosé. Achetez votre viande chez le boucher, dans la mesure du possible. Il est à même de vous la découper sur place ; de plus, vous pourrez lui indiquer précisément vos besoins en fonction de l'épaisseur des morceaux choisis dans la recette.

Quelques conseils

- Placez toujours la viande crue (ou cuite) au réfrigérateur jusqu'au moment de la cuisiner.
- La décongélation doit toujours se faire dans le réfrigérateur.
- Lavez-vous toujours les mains, nettoyez les ustensiles et les surfaces de travail utilisés pour la viande crue avant de manipuler la viande cuisinée.

Les côtelettes d'agneau piquées sur de petites brochettes sont simplement grillées avec un peu d'huile et agrémentées de quelques feuilles fraîches de romarin.

Pour une viande savoureuse

Il existe mille et une façons de donner du goût à la viande de bœuf, d'agneau, de porc ou encore de veau. La première consiste à enrober la viande crue d'épices en la retournant et en la pressant dans différentes préparations. Vous pouvez également la faire mariner, en prévoyant au moins 1 h de macération pour que la viande s'imprègne bien des différentes saveurs. Si vous entaillez votre viande, vous permettrez aux parfums de mieux se diffuser lors de l'enrobage ou de la marinade des morceaux. Lustrer la viande en fin de cuisson de sauce ou de glaçage peut également donner de subtiles saveurs à tous vos mets.

Mariages savoureux s'accordant avec la viande de bœuf

Oignons ■ paprika ■ cannelle ■ gingembre ■ cardamome ■ poivre en grains ■ ail ■ cognac ■ porto ■ yaourt ■ persil ■ raifort ■ moutarde ■ sauce de soja ■ piments.

Mariages savoureux s'accordant avec l'agneau

Ail ■ romarin ■ menthe ■ citron ■ yaourt ■ piments.

Mariage savoureux s'accordant avec le porc et le veau

Ail ■ piments ■ anis étoilé ■ sauce de soja ■ sirop d'érable ■ huile de sésame ■ gingembre ■ sauge ■ thym ■ pomme ■ moutarde ■ miel.

Gros morceaux de viande

Les gros morceaux comme la poitrine de bœuf, le rôti de porc ou le gigot d'agneau, doivent être grillés de manière indirecte au barbecue. Le gigot d'agneau entier peut être cuit avec os et graisse. Si les jus commencent à brûler, ajoutez un peu d'eau dans le plat.

Steaks, morceaux et petites pièces

Le steak est le grand classique du barbecue. Il suffit de badigeonner la viande d'un peu d'huile, surtout si la marinade n'en contenait pas. Nous indiquons des temps de cuisson à titre indicatif pour des steaks cuits à point. Avec un peu d'expérience, il vous sera possible d'obtenir très facilement une cuisson à votre goût.

Viande saisie sur barbecue

Cette méthode n'est pas différente de la cuisson à la poêle. Elle permet de saisir la viande afin qu'elle garde tout son moelleux et de continuer la cuisson en profondeur. De plus, les fumées que provoque la graisse en grillant au barbecue confèrent à la viande des saveurs incomparables.

Pour saisir de la viande sur un barbecue au gaz, préchauffez-le à haute température, puis placez directement la viande et refermez le couvercle. Faites cuire tous les morceaux qui ne dépassent pas 2,5 cm d'épaisseur pendant 2 minutes. Ajoutez 3 à 4 minutes pour les morceaux plus épais. Rappelez-vous qu'il est nécessaire d'ôter le surplus de graisse. Si la viande s'enflamme malgré tout, tournez-la hors du feu pour éteindre les flammes et continuez la cuisson en réduisant la température. Une fois la viande saisie, continuez la cuisson de manière indirecte, à allure moyenne, en suivant les directives de la recette. Pour saisir la viande sur un barbecue au charbon, placez vos morceaux directement sur le charbon, refermez le couvercle, puis terminez la cuisson de manière indirecte. Si vous avez préparé votre barbecue à une cuisson indirecte (ce qui signifie que vous avez écarté les briquettes de charbon), il vous suffit de saisir la viande sur le côté, sur le charbon, et de continuer la cuisson indirecte en replaçant la viande au centre du barbecue. Si, au contraire, votre barbecue est préparé pour une cuisson directe, saisissez votre viande et finissez la cuisson hors de la flamme. Cette méthode qui utilise les deux techniques de cuisson est idéale pour les morceaux plus épais et les petits rôtis.

Kebabs de viande

La plupart des viandes peuvent être cuites sur brochettes. Il est néanmoins recommandé de ne pas choisir des pièces qui demandent une cuisson lente : choisissez des morceaux tendres qui cuisent en moins de 25 minutes. Ôtez l'excès de graisse et découpez les morceaux en cubes d'environ 2,5 cm de côté. Piquez-les sur des brochettes et agrémentez de branches de romarin pour relever la saveur de la viande (en particulier celle de l'agneau). Au préalable, n'oubliez pas de faire tremper les brochettes en bois ou en bambou une trentaine de minutes.

Guide de cuisson de la viande

À l'exception des hamburgers, cuire la viande au barbecue ou au gril n'est pas chose facile. Vous trouverez quelques directives pour vous aider dans les tableaux qui suivent mais les meilleures armes que vous puissiez avoir sont vos yeux et votre expérience. Au fil de vos barbecues, vous apprendrez à évaluer tout type de cuisson en regardant votre viande. Vous saurez à quel moment retourner vos morceaux pour obtenir une cuisson bleue ou à point. Si vous craignez que vos steaks ne soient pas assez cuits, prenez-les et placez-les sur une planche, découpez une entaille vers le centre de la viande. Si les jus sont clairs, la viande est cuite ; s'il reste des traces de sang, remettez-la sur le barbecue ou au gril.

Bœuf et veau

Les temps indiqués ici sont donnés pour une cuisson à point (rajoutez quelques minutes si vous préférez une viande bien cuite). Retournez la viande une fois à mi-cuisson. Laissez-la toujours reposer après la cuisson, sur une feuille d'aluminium, pendant 10 à 15 minutes. Cela permet de parfaire la cuisson car la température interne augmente et les morceaux ne refroidissent pas trop vite. Il est préférable de faire griller vos steaks de manière directe. Pour les plus grosses pièces et les rôtis, grillez la viande de manière indirecte selon les temps recommandés.

Morceaux à griller	Poids	Temps de cuisson	Température
Filet, tournedos	2,5 cm d'épaisseur	8-10 min	70 °C
ou côte de bœuf	4 cm d'épaisseur	14-16 min	70 °C
	5 cm d'épaisseur	15-20 min	70 °C
Rumsteck	450-900 g	7 min par côté	70 °C
Poitrine	2,25-2,75 kg	2½-3 heures	70 °C
Filet rôti sans os	1,75-2,75 kg	2-2½ heures	70 °C
Hamburger	2 cm d'épaisseur	10 min environ	70 °C
Côtes de veau	2 cm d'épaisseur	10-12 min	70 °C
	2,5 cm d'épaisseur	14 min	70 °C
	3,5 cm d'épaisseur	16-18 min	70 °C

Agneau

Les côtes d'agneau nécessitent une cuisson directe. Tous les temps indiqués sont donnés pour une cuisson à point (rajoutez quelques minutes de cuisson pour une viande bien cuite). Laissez reposer la viande, après cuisson, pendant 10 à 15 minutes, recouverte d'une feuille de papier aluminium. Cela lui permettra de parfaire sa cuisson car la température interne s'élève. Pour les gros morceaux ou les gigots, utilisez la manière indirecte, dans les temps indiqués.

Morceaux à griller	Poids	Temps de cuisson	Température
Filets, côtes, côtelettes	2,5 cm d'épaisseur	10-12 min	70 °C
	5 cm d'épaisseur	14-16 min	70 °C
Tranches de gigot	2,5 cm d'épaisseur	10-12 min	70 °C
Gigot d'agneau désossé, en papillotte	1,75 kg	55-65 min	70 °C
Gigot d'agneau désossé, ficelé	2,25-2,75 kg	1½-2 heures	70 °C
Couronne de carré d'agneau	1,5-1,75 kg	1¼-1½ heure	70 °C
Carré d'agneau	1,2-1,5 kg	1¼-1½ heure	70 °C

Porc

En dessous de 2 à 2,5 cm d'épaisseur, les côtelettes peuvent être grillées directement. Pour les pièces plus importantes, la cuisson indirecte est recommandée. Tous les temps sont exprimés ici pour obtenir une viande d'une cuisson à point à bien cuite. Retournez la viande une fois à mi-cuisson. Laissez-la reposer en la recouvrant de papier aluminium, pendant 10 à 15 minutes, après la fin de cuisson. Pour les rôtis de porc, procédez de la même manière que pour le bœuf ou l'agneau. Les saucisses peuvent être cuites au barbecue de manière directe ; veillez toutefois à ce qu'elles ne prennent pas feu, car cette viande a la particularité d'être plutôt grasse. Comme toutes les viandes de porc, les saucisses ne doivent plus contenir de partie rosée et être bien cuites.

Morceaux à griller	Poids	Temps de cuisson	Température
Côtes, côtes premières, épaule	2 cm d'épaisseur	12-14 min	70 °C
Rôti (échine)	1,5-2,25 kg	1¾ heure	70 °C
Travers	1,5-1,75 kg	1-1½ heure	70 °C
Grillades de porc	350-450 g	25-35 min	70 °C
Saucisses	épaisses/grosses	25 min	70 °C

Carré d'agneau provençal
et salade de haricots blancs

Gaz	Direct/Moyen	✳ ✳ ✳
Charbon	Direct	
Temps de préparation	15 min + 4-6 h de marinade	
Temps de cuisson	15-25 min	**4 pers.**

1 petit oignon, haché grossièrement

6 gousses d'ail, hachées grossièrement

4 tomates prunes

15 g de brins de romarin frais

15 g de persil frais

2 cuillères à soupe de moutarde de Dijon

300 ml de vin rouge

1 cuillère à café de sel

½ cuillère à café de poivre noir fraîchement moulu

2 carrés d'agneau, d'environ 675 g chacun

Salade de haricots blancs

250 g de haricots blancs secs

900 ml de bouillon de poulet

1 petit oignon, coupé en quartiers

1 carotte, coupée en quatre

1 branche de céleri, coupée en quatre

1½ cuillère à café d'origan séché

50 ml d'huile d'olive extra vierge

1 cuillère à soupe de vinaigre de vin rouge

2 cuillères à soupe de persil frais, haché

2 grosses tomates, coupées en cubes

50 g d'olives vertes et noires, coupées en lamelles

Sel et poivre noir fraîchement moulu

1 Commencez par préparer la marinade en disposant l'oignon, l'ail, les tomates, le romarin, le persil, la moutarde, le vin, le sel et le poivre dans le bol d'un robot. Assaisonnez et réduisez en purée. Mettez-la dans un grand plat creux non métallique. Dégraissez l'agneau à l'aide d'un couteau et plongez-le dans la marinade. Veillez à ce que la viande baigne en partie dans la préparation, couvrez le plat et placez le tout au réfrigérateur pendant 4 à 6 heures.

2 Pour préparer la **salade**, versez les haricots blancs dans une grande poêle et couvrez-les de deux fois leur volume d'eau. Portez à ébullition et laissez mijoter une dizaine de minutes. Retirez du feu et laissez tremper pendant 1 h, puis égouttez et rincez. Remettez les haricots dans la poêle en ajoutant le bouillon, l'oignon, la carotte, le céleri et l'origan.

**Les os brûlent et noircissent facilement.
Il faut donc les recouvrir de papier aluminium.**

Portez à ébullition puis réduisez le feu pour laisser mijoter pendant 1 heure à 1½ heure jusqu'à ce qu'ils soient tendres. Ôtez les légumes d'assaisonnement, égouttez les haricots et versez-les dans un plat de service. Ajoutez l'huile d'olive, le vinaigre, le persil, les tomates et les olives, assaisonnez et laissez refroidir.

3 Sortez l'agneau de la marinade. Enveloppez chaque os de papier aluminium pour éviter qu'il ne brûle. Faites cuire les carrés au barbecue directement, à allure moyenne. Laissez cuire 15 minutes pour une viande bleue, 20 minutes pour qu'elle soit à point et 25 minutes si vous la préférez bien cuite, en retournant une fois à mi-cuisson pour chaque temps. Laissez reposer l'agneau pendant une quinzaine de minutes avant de le découper en côtelettes. Servez accompagné de la salade de haricots.

Boudin blanc
au chou rouge mariné

Gaz	Indirect/Moyen	✳
Charbon	Indirect	
Temps de préparation	45 min	
Temps de cuisson	16-18 min	6 pers.

375 g de chou rouge
1 oignon
2 cuillères à soupe d'huile de tournesol
2 gousses d'ail, écrasées
½ cuillère à soupe de graines de cumin
120 ml de vinaigre de cidre
2 cuillères à soupe de sucre roux
sel et poivre noir fraîchement moulu
6 boudins blancs
huile pour badigeonner
6 pains pour hot dog, ouverts en deux
moutarde forte

1 Utilisez la râpe d'un robot ou un couteau tranchant pour émincer le chou rouge et l'oignon. Faites chauffer l'huile dans une grande poêle et mettez-y le chou, l'oignon et l'ail. Faites fondre à feu vif en remuant le tout, pendant 5 à 6 minutes.

2 Ajoutez les graines de cumin et poursuivez la cuisson toujours en remuant, pendant 1 à 2 minutes. Ajoutez le vinaigre, le sucre roux et l'assaisonnement. Portez à ébullition puis continuez la cuisson à feu doux, pendant 25 minutes, jusqu'à ce que les ingrédients soient très tendres. Arrêtez la cuisson et laissez complètement refroidir.

3 Lustrez légèrement les boudins d'huile et faites-les cuire sur le barbecue indirectement, à allure moyenne pendant 16 à 18 minutes. Retournez-les une fois à mi-cuisson et laissez-les cuire jusqu'à ce qu'ils soit tendres.

4 Étalez un peu de moutarde dans les pains. Fourrez les hot dogs de chou rouge mariné, disposez un boudin et servez.

Côtelettes de veau au romarin
aux condiments et champignons grillés

Gaz	Direct/Moyen	☀ ☀
Charbon	Direct	
Temps de préparation	15 min	
Temps de cuisson	12-15 min	4 pers.

2 cuillères à soupe d'huile d'olive
1 cuillère à soupe de romarin frais, haché finement
2 gousses d'ail, hachées finement
le zeste de ½ citron
½ cuillère à café de gros sel
4 côtelettes de veau, d'environ 2,5 cm d'épaisseur

Condiments et champignons grillés
1 oignon
225 g de champignons noirs
2 cuillères à soupe d'huile d'olive
sel et poivre fraîchement moulu
1 petite tomate rouge, épépinée et coupée en cubes
1 petite tomate jaune, épépinée et coupée en cubes
1 cuillère à soupe de thym frais émietté
2 cuillères à café de vinaigre de xérès
1 cuillère à soupe d'huile d'olive extra vierge
1 cuillère à soupe de persil frais ciselé

1 Mixez dans un petit bol l'huile d'olive, le romarin, l'ail, le zeste de citron et le sel. Badigeonnez-en l'ensemble des côtelettes, couvrez et mettez au réfrigérateur pendant la préparation des champignons.

2 Pour préparer les **champignons**, coupez l'oignon en épaisses rondelles et mettez-le dans un bol avec les champignons noirs et l'huile d'olive. Mélangez doucement et assaisonnez. Faites griller les champignons avec les oignons directement, à allure moyenne pendant 10 minutes, en les retournant une fois à mi-cuisson, jusqu'à ce qu'ils dorent et qu'ils soient tendres. Laissez-les refroidir et hachez-les grossièrement. Disposez-les dans un bol et ajoutez les tomates, le thym, le vinaigre de xérès, l'huile d'olive et le persil. Mélangez l'ensemble, vérifiez l'assaisonnement et réservez.

3 Retirez les côtelettes de veau de la marinade et faites-les griller au barbecue directement, à allure moyenne pendant 12 à 15 minutes en les retournant une fois à mi-cuisson. Elles doivent être légèrement rosées au centre.

4 Laissez reposer les côtelettes de veau pendant 5 à 10 minutes puis servez avec les champignons grillés et les condiments cuisinés.

Saucisses au miel et à la moutarde
aux petits oignons

Gaz	Indirect/Moyen	✳
Charbon	Indirect	
Temps de préparation	10 min	
Temps de cuisson	18 min	6 pers.

3 gousses d'ail, écrasées

le jus de 1 citron

3 cuillères à soupe de moutarde à l'ancienne

3 cuillères à soupe de miel liquide

1 cuillère à café de piment en poudre

2 gros oignons

12 grosses saucisses de porc

huile pour badigeonner

1 Dans le bol d'un robot, disposez l'ail, le jus de citron, la moutarde à l'ancienne, le miel et le piment. Mixez bien le tout et réservez.

2 Coupez les oignons en deux en passant par le cœur. Coupez chaque moitié en quartier puis ceux-ci en deux ou trois morceaux en conservant les couches d'oignon intactes. Piquez les morceaux sur deux ou trois longues brochettes.

3 Badigeonnez les morceaux de saucisses et d'oignons avec la préparation de moutarde et de miel. Passez également un pinceau huilé sur les brochettes puis placez-les au centre de la grille de cuisson. Faites-les cuire au barbecue indirect, à allure moyenne pendant 6 minutes. Retournez-les et faites-les cuire encore une douzaine de minutes jusqu'à ce que les morceaux de saucisses et d'oignons soient tendres.

4 Disposez les saucisses dans un grand plat de service. Ajoutez les oignons grillés que vous aurez préalablement retirés des piques à brochettes. Mélangez et servez avec des pommes frites maison.

Steaks grillés
aux tomates parfumées

Gaz	Direct/Moyen	✳
Charbon	Direct	
Temps de préparation	5 min	
Temps de cuisson	12-19 min	4 pers.

4 steaks d'aloyau de 225 g environ

sel et poivre fraîchement moulu

8 tomates moyennes, coupées en deux

2 cuillères à soupe d'huile d'olive

1 gros oignon, haché finement

1 gousse d'ail, hachée finement

3 cuillères à soupe de basilic frais ciselé

1 Assaisonnez les steaks et mettez les directement sur la grille de cuisson. Badigeonnez les tomates d'un peu d'huile et placez-les côté peau autour des steaks. Faites-les cuire au barbecue, à allure moyenne pendant 6 à 8 minutes en les retournant une fois jusqu'à ce que les tomates soient tendres. Retournez les steaks et faites-les griller encore 6 à 8 minutes pour une cuisson à point, 8 à 11 minutes pour une viande bien cuite.

2 Disposez le reste d'huile d'olive, l'oignon et l'ail dans une poêle à frire. Posez-la sur le brûleur et faites cuire pendant 6 à 8 minutes en tournant de temps en temps, jusqu'à ce que les oignons et l'ail s'attendrissent et brunissent. Si vous ne possédez pas de brûleur, vous pouvez placer votre poêle sur la grille de cuisson en veillant à écarter le manche de la source de chaleur.

3 Coupez les tomates grossièrement et incorporez-les dans la préparation aux oignons avec le basilic. Assaisonnez à votre goût. Retirez les steaks du gril et laissez reposer 5 minutes avant de les découper et de les disposer dans les assiettes. Mélangez les jus de viande dans la préparation à la tomate et servez avec les steaks.

Steaks grillés.
Voir photo en haut à gauche page 84.

Côtes d'agneau
au porto et au gingembre

Gaz	Indirect/Moyen	✳ ✳
Charbon	Indirect	
Temps de préparation	20 min	
Temps de cuisson	7-17 min	4 pers.

300 ml de bouillon de poulet

50 ml de ketchup

50 ml de purée de tomate

1 petit oignon, haché finement

1 branche de céleri, hachée finement

50 ml de porto

2 cuillères à soupe de miel

1 cuillère à soupe de gingembre frais râpé

1 cuillère à soupe de sauce brune

1 cuillère à soupe de vinaigre balsamique

1 cuillère à soupe de sauce Worcester

2 cuillères à café de piment en poudre

2 cuillères à café de moutarde en poudre

2 cuillères à soupe de sucre roux

8 côtes d'agneau

1 Prenez une poêle et mettez-y les ingrédients suivants : le bouillon de poulet, le ketchup, la purée de tomate, l'oignon, le céleri, le porto, le miel, le gingembre, la sauce brune, le vinaigre balsamique, la sauce Worcester, le piment en poudre, la moutarde en poudre, et le sucre roux. Portez à ébullition et faites mijoter pendant 1 heure sans couvrir. Remuez de temps en temps jusqu'à épaississement de la sauce. Versez-la ensuite dans un robot et mixez jusqu'à obtention d'une préparation onctueuse. Laissez reposer avant de mettre au réfrigérateur. Vous pouvez préparer cette sauce 3 jours à l'avance, en la conservant au frais.

2 Faites cuire les côtes d'agneau indirectement au barbecue, à allure moyenne. Comptez 7 à 9 minutes pour une cuisson bleue, 10 à 13 minutes pour une cuisson à point et 14 à 17 minutes pour une viande bien cuite. Retournez-les une fois, à mi-cuisson. Badigeonnez chaque face avec la sauce pendant les 2 dernières minutes de grillade. Retirez les côtes du feu et laissez-les reposer pendant 3 à 4 minutes. Pendant ce temps, réchauffez la sauce tomate parfumée, que vous servirez avec les côtes d'agneau.

Côtes d'agneau.
Voir photo en bas à gauche
page 84.

Brochettes d'agneau
sauce aux herbes et au cognac

Gaz	Indirect/Moyen	✳
Charbon	Indirect	
Temps de préparation	10 min	
Temps de cuisson	7-17 min	4 pers.

2 poivrons verts, égrainés et coupés en morceaux de 2,5 cm

700 g de gigot d'agneau désossé, préparé
et coupé en cubes de 2,5 cm

1 gros oignon, coupé en 8 quartiers

sel et poivre fraîchement moulu

huile végétale pour badigeonner

Sauce aux herbes et au cognac

120 ml d'huile d'olive

1 petit oignon, haché grossièrement

le jus de 1 citron

2 cuillères à soupe de cognac

1 gousse d'ail, hachée grossièrement

2 cuillères à café de moutarde de Dijon

1 cuillère à café d'origan séché

1 cuillère à soupe de thym frais, émietté

1 pincée de piment de Cayenne

1 Si vous utilisez des piques à brochettes en bois ou en bambou, plongez-les dans l'eau froide pendant 30 minutes. Embrochez l'agneau, les morceaux de poivrons et les quartiers d'oignon sur les piques. Assaisonnez et mettez de côté.

2 Pour la **sauce**, mettez les ingrédients suivants dans le bol d'un mixer : l'huile d'olive, l'oignon haché, le jus de citron, le cognac, l'ail, la moutarde, l'origan, le thym et le piment de Cayenne. Mixez jusqu'à obtenir une préparation onctueuse.

3 Badigeonnez légèrement les brochettes d'huile et faites-les cuire sur le barbecue indirectement, à allure moyenne, 7 à 9 minutes pour une cuisson bleue, 10 à 13 minutes pour une viande à point et 14 à 17 minutes pour qu'elle soit bien cuite. Retournez-les une fois à mi-cuisson et badigeonnez-les deux ou trois fois de sauce durant la grillade.

Les noyaux de prunes permettent à la sauce d'épaissir. Enveloppés dans de la mousseline, noyaux concassés et épices fortes seront plus faciles à retirer.

Lorsque vous retirerez les petits sacs de mousseline, pensez à les égoutter dans la sauce.

Astuce

Si vous ne trouvez pas de prunes fraîches, vous pouvez vous rendre dans une épicerie chinoise, qui vous vendra cette sauce en bouteille ou en pot.

Porc Char-sui
sauce aux prunes

Gaz	Indirect/Moyen	✳ ✳
Charbon	Indirect	
Temps de préparation	50 min + 4 h de marinade	
Temps de cuisson	30 min	6 pers.

Marinade Char-sui
4 cuillères à soupe de mélasse noire
2 cuillères à soupe de sauce de soja
3 cuillères à soupe de xérès sec
3 filets mignons de porc, de 400 g environ
huile pour badigeonner

Sauce aux prunes
650 g de prunes fraîches
10 clous de girofle
1 anis étoilé
2 petits piments séchés
250 g de sucre roux
1 cuillère à café de sel
1 morceau de gingembre frais de 2,5 cm, haché finement
350 ml de vinaigre de vin blanc

1 Pour préparer la **marinade**, placez la mélasse, la sauce de soja et le xérès dans une petite poêle. Remuez à petit feu jusqu'à ce que le mélange soit bien homogène. Mettez de côté pour laisser refroidir.

2 Retirez l'excès de graisse des filets de porc et placez-les dans un grand plat. Versez la marinade dessus en veillant à bien retourner la viande pour une bonne répartition. Couvrez et laissez mariner 4 heures au réfrigérateur.

3 Pour préparer la **sauce**, coupez les prunes en deux et ôtez les noyaux. Brisez ces derniers à l'aide d'un marteau et nouez-les dans un petit sac de mousseline. Fabriquez un autre petit sac dans lequel vous glisserez les clous de girofle, l'anis étoilé et les piments. Mettez-les dans une grande poêle avec les prunes, le sucre, le sel, le gingembre et le vinaigre.

4 Portez doucement à ébullition jusqu'à ce que le sucre fonde, puis laissez mijoter 20 minutes jusqu'à ce que les prunes s'attendrissent. Enlevez les petits sacs et égouttez-les au-dessus de la poêle. Faites bouillir à feu vif pendant 5 à 10 minutes jusqu'à épaississement. Laissez refroidir, cela permettra à la sauce d'épaissir davantage.

5 Badigeonnez d'un peu d'huile la grille de cuisson. Retirez les filets de porc de la marinade et faites-les cuire au barbecue indirectement, à allure moyenne pendant 30 minutes. Découpez la viande en tranches et servez à votre goût, chaud ou froid, avec la sauce aux prunes.

Épaule de porc grillée
aux herbes épicées

Gaz	Indirect/Moyen	☀
Charbon	Indirect	
Temps de préparation	10 min	
Temps de cuisson	10 min	8 pers.

1½ cuillère à soupe de paprika

1 cuillère à soupe de coriandre moulue

1 cuillère à soupe de zeste de citron, finement râpé

1 cuillère à soupe de marjolaine séchée

2 cuillères à soupe d'ail en poudre

1 cuillère à café de sel

¾ cuillère à café de poivre fraîchement moulu

½ cuillère à café de cumin moulu

¼ cuillère à café de graines de cumin écrasées

¼ cuillère à café de cannelle moulue

8 tranches d'épaule de porc de 175 g environ

1 Malaxez dans un petit bol le paprika, la coriandre, le zeste de citron, la marjolaine, l'ail en poudre, le sel, le poivre, le cumin, les graines de cumin et la cannelle. Recouvrez-en les tranches d'épaule des deux côtés, en pressant bien la viande pour une meilleure adhérence.

2 Faites-les cuire au barbecue indirectement pendant 10 minutes pour une cuisson à point et 12 à 14 minutes pour une viande bien cuite. Retournez les tranches une fois pendant les temps de cuisson indiqués.

Astuce

1,5 à 1,75 kg de travers de porc peuvent remplacer les tranches d'épaule de porc. Faites cuire les travers de porc au barbecue indirectement, à allure moyenne pendant 1¼ - 1½ heure.

Steaks au poivre
sauce au cognac

Gaz	Direct/Fort	☀ ☀ ☀
Charbon	Direct	
Temps de préparation	10 min	
Temps de cuisson	8-11 min	4 pers.

3 cuillères à soupe de poivre en grains

4 steaks d'aloyau, d'environ 225 g

huile pour badigeonner

Sauce à la crème parfumée au cognac

1 cuillère à soupe d'huile végétale

1 oignon (ou 1 échalote), haché finement

1 petite gousse d'ail, écrasée

2 cuillères à soupe de cognac

300 ml de bouillon de bœuf

6 cuillères à soupe de crème fraîche

sel et poivre fraîchement moulu

1 Mettez le poivre en grains dans un mortier et pilonnez-le grossièrement. Dégraissez les steaks à l'aide d'un couteau. Renversez les grains de poivre écrasés sur une feuille de papier sulfurisé et dispersez-les. Pressez les steaks sur le poivre, de chaque côté.

2 Pour préparer la **sauce**, faites chauffer l'huile dans une petite poêle. Ajoutez l'oignon ou l'échalote et l'ail puis couvrez et faites fondre le tout à feu doux pendant 2 à 3 minutes. Incorporez le cognac, enflammez-le et laissez chauffer jusqu'à ce que l'alcool soit complètement évaporé. Ajoutez alors le bouillon de bœuf et cuisez le tout pendant 10 à 12 minutes jusqu'à réduction, d'environ 10 ml. Incorporez la crème fraîche et poursuivez la cuisson 5 minutes jusqu'à léger épaississement. Assaisonnez bien et gardez au chaud.

3 Badigeonnez les steaks d'un peu d'huile et faites-les cuire au barbecue directement, à allure forte pendant 8 minutes en les retournant une fois, pour une cuisson à point. Si vous préférez votre viande bien cuite, ajoutez 2 à 3 minutes de cuisson. Servez les steaks avec la sauce crémeuse chaude.

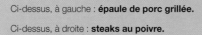

Ci-dessus, à gauche : **épaule de porc grillée.**

Ci-dessus, à droite : **steaks au poivre.**

Quand vous ferez griller
vos steaks au poivre, veillez
à ne pas faire tomber les
grains (pour qu'ils donnent
leur saveur à la viande).

Steaks grillés
marinade asiatique douce

Gaz	Direct/ Moyen	✹ ✹
Charbon	Direct	
Temps de préparation	5 min + 3-4 h de marinade	
Temps de cuisson	12-15 min	4 pers.

120 ml de sauce de soja

120 ml de sauce aux prunes

120 ml de jus de jus d'ananas

120 ml de ketchup

2 oignons nouveaux, hachés finement

3 cuillères à soupe de coriandre fraîche, hachée

un morceau de gingembre d'environ 5 cm, râpé

4 gousses d'ail, hachées finement

500 g de rumsteak

1 Mettez la sauce de soja, la sauce aux prunes, le jus d'ananas, le ketchup, les oignons nouveaux, la coriandre, le gingembre et l'ail dans un petit bol et mélangez bien. Disposez les steaks dans un grand plat et versez la marinade dessus. Retournez la viande de manière à l'imprégner de la marinade. Couvrez et réservez au frais pendant 3 à 4 heures. Tournez la viande de temps en temps.

2 Retirez les steaks et conservez la marinade. Faites cuire la viande directement, à allure moyenne pendant 12 à 15 minutes en la retournant une fois à mi-cuisson. Lustrez-la avec la marinade de réserve de temps en temps. Laissez reposer les steaks avant de les découper finement.

3 Pendant ce temps, versez le surplus de marinade dans une petite poêle et portez-la à ébullition. Faites-la réduire d'un tiers pendant 5 minutes et servez avec les steaks grillés.

Jambon grillé
glaçage à l'orange et à l'abricot

Gaz	Indirect/ Moyen	✹ ✹
Charbon	Indirect	
Temps de préparation	5 min	
Temps de cuisson	1½ à 2 heures	8–10 pers.

un jambon de 1,5 à 2,25 kg désossé
clous de girofle pour la présentation

Glaçage à l'orange et à l'abricot
90 g d'abricot en conserve
50 ml de jus d'orange
2 cuillères à soupe de sauce de soja
le jus de ½ citron

1 Commencez par retirer la peau du jambon à l'aide d'un couteau pointu. Laissez une petite épaisseur de graisse et tracez au couteau de grandes diagonales de 2,5 cm sur toute la surface du jambon. Piquez un clou de girofle dans chaque losange ainsi dessiné en croisant vos diagonales.

2 Pour réaliser le **glaçage**, mixez les abricots et le jus d'orange ainsi que la sauce de soja et le jus de citron. Réservez.

3 Faites cuire le jambon indirectement au barbecue, à allure moyenne, pendant 1½ à 2 heures. Lustrez le glaçage au pinceau, sur le jambon, pendant les 15 dernières minutes de cuisson. Retirez le jambon du feu et attendez 15 minutes avant de le découper.

4 Versez le reste de glaçage sur toute la surface du jambon juste avant de servir.

Astuce

Pour cuire un jambon de 1,5 à 2,25 kg, placez-le dans une grande poêle remplie d'eau froide que vous porterez à ébullition. Jetez l'eau et recouvrez d'eau froide que vous porterez à nouveau à ébullition et que vous laisserez cuire 20 minutes par tranche de 450g.

À droite : **jambon grillé, glaçage
à l'orange et à l'abricot.**

Classiques américains

Les Américains affectionnent particulièrement la cuisine
au barbecue, prétexte à des activités conviviales et ludiques
en famille ou entre amis. Ce rituel fédérateur a inspiré
des dizaines de recettes dont certaines sont aujourd'hui
considérées comme des classiques. La plus pure tradition
y côtoie des saveurs exotiques, venues enrichir la culture
gastronomique du nouveau continent à la faveur de l'arrivée
des immigrants.

Aux États-Unis, le terme « barbecue » induit la cuisson
lente des mets. Les recettes présentées dans ce chapitre
s'attachent à en respecter le principe. Elles vous permettront
de confectionner un repas simple et délicieux, associant
par exemple des travers de porc « Kansas » et du maïs
à la broche, sauce piment et coriandre.

Sans oublier la quintessence de la cuisine américaine :
le hamburger accompagné de frites... grillées !

Pommes frites maison
sauce ketchup épicée

Gaz	Direct/Moyen	
Charbon	Direct	✳
Temps de préparation	10 min	
Temps de cuisson	10-12 min	4 pers.

Sauce ketchup épicée
150 ml de ketchup
½ cuillère à café de harissa
2 cuillères à café de vinaigre balsamique

900 g de pommes de terre, avec la peau
2 cuillères à soupe d'huile d'olive
2 gousses d'ail, hachées finement
sel et poivre fraîchement moulu

1 Pour préparer la **sauce épicée**, mettez le ketchup, la harissa et le vinaigre dans un petit bol. Mélangez le tout et réservez.

2 Coupez les pommes de terre en deux, puis chaque moitié en quatre ou en gros morceaux. Prenez ensuite un grand bol dans lequel vous mettrez l'huile d'olive, l'ail et l'assaisonnement à votre goût ; mélangez bien le tout. Glissez vos morceaux de pommes de terre dans le récipient et enduisez-les de cette préparation.

3 Disposez les pommes de terre sur la grille de cuisson en veillant à ce que les quartiers ne passent pas au travers. Faites-les cuire 10 minutes au barbecue directement, à allure moyenne, en les retournant une fois jusqu'à ce qu'elles soient bien dorées des 2 côtés. Si vous les souhaitez très croustillantes, ouvrez le couvercle pendant les deux dernières minutes de cuisson. Servez chaud avec la sauce épicée.

Hamburgers
dans leurs pains au sésame

Gaz	Direct/Moyen	
Charbon	Direct	✳
Temps de préparation	10 min	
Temps de cuisson	12-16 min	4 pers.

650 g de viande hachée de bœuf maigre
2 gousses d'ail, écrasées
½ oignon hâché grossièrement
1 cuillère à soupe de sauce Worcester
sel et poivre
4 pains pour hamburgers parsemés de graines de sésame,
ou 4 petits pains croustillants, coupés en deux,
à remplir d'oignons en lamelles, tomates, laitue, mayonnaise,
moutarde, ketchup, concombre
225 g de fromage fondu, en lamelles (facultatif)

1 Mélangez dans un grand bol la viande hachée, l'ail, l'oignon, la sauce Worcester et l'assaisonnement. Formez quatre steaks de la taille d'un hamburger.

2 Faites cuire les steaks au barbecue directement, à allure moyenne pendant 12 à 16 minutes. Retournez-les une fois à mi-cuisson jusqu'à ce qu'ils soient cuits.
Si vous souhaitez préparer des cheeseburgers, disposez les lamelles de fromage sur les steaks dans les 2 à 3 dernières minutes de cuisson. Ajouter les pains ou les petits pains croustillants côté mie sur la grille de cuisson durant les 2 à 3 dernières minutes de cuisson.

3 Lorsque vos hamburgers sont cuits, garnissez la base des pains des ingrédients de votre choix puis ajoutez le steak et couvrez de la seconde moitié des pains.

Hamburger traditionnel avec pommes frites maison.

Pommes frites maison.
Voir photo en bas à gauche, page 104.

Travers de porc Buffalo
sauce au bleu

Gaz	Indirect/Moyen	☀
Charbon	Indirect	
Temps de préparation	10 min + 4 h de marinade	
Temps de cuisson	30-35 min	4 pers.

50 ml de vinaigre de cidre
50 ml d'huile d'olive
50 ml de sauce Worcester
½ cuillère à café de piment de Cayenne
1 cuillère à soupe de sucre roux
1,5 kg de travers de porc (plat de côtes)

Sauce au bleu
50 ml de mayonnaise
50 ml de crème aigre
50 g de fromage persillé, émietté
1 gousse d'ail hachée finement
½ cuillère à café de sauce Worcester
1 à 2 cuillères à soupe de lait
sel et poivre noir fraîchement moulu

1 Mélangez dans un grand bol le vinaigre, l'huile d'olive, la sauce Worcester, le piment et le sucre roux. Disposez la viande dans un grand plat non métallique. Versez la marinade dessus et retournez la viande pour bien la parfumer. Couvrez avec du film alimentaire et laissez mariner au réfrigérateur pendant 4 heures, ou toute la nuit si vous le pouvez.

2 Pendant ce temps, vous pouvez préparer la **sauce au bleu**. Pour cela, prenez un grand bol dans lequel vous mélangez la mayonnaise avec la crème aigre, le fromage, l'ail et la sauce Worcester. Vous pouvez incorporer un peu de lait si la préparation vous paraît trop épaisse. Assaisonnez et mettez au frais jusqu'à ce que vous vous en serviez.

3 Retirez la viande de la marinade et versez cette dernière dans un petit récipient. Portez-la à ébullition, puis laissez bouillir pendant 1 minute. Retirez du feu et réservez.

4 Disposez les travers de porc sur la grille de cuisson (ou dans un plateau spécifique) et faites-les cuire au barbecue indirectement, à allure moyenne pendant 30 à 35 minutes. Retournez-les une fois à mi-cuisson et profitez-en pour les badigeonner de marinade, puis poursuivez la cuisson jusqu'à ce que la viande soit bien tendre. Laissez-la reposer 5 minutes hors du barbecue avant de la découper en petites côtes et de les servir nappées de sauce au bleu.

Sandwichs de rumsteak
nappés de sauce Santa Maria

Gaz	Direct/indirect/Moyen	✱ ✱
Charbon	Direct/indirect	
Temps de préparation	10 min + 24 h de macération	
Temps de cuisson	13-20 min	**4 pers.**

1 cuillère à soupe de poivre noir, moulu grossièrement

2 gousses d'ail écrasées

1 cuillère à café de moutarde en poudre

1 cuillère à café de paprika

1 pincée de piment de Cayenne

1 kg de rumsteak, en tranches de 5 cm d'épaisseur

baguette, pour les sandwichs

copeaux de bois de chêne ou de noyer, trempés dans l'eau

30 minutes avant la grillade, pour parfumer

Sauce Santa Maria
1 cuillère à soupe d'huile d'olive

1 oignon rouge, haché finement

1 gousse d'ail, hachée finement

120 ml de bouillon de poulet

4 cuillères à soupe de ketchup

4 cuillères à soupe de sauce brune

1 cuillère à soupe de persil frais, haché

1 cuillère à soupe de sauce Worcester

1½ cuillère de café moulu

1 Dans un bol, mélangez le poivre, l'ail, la moutarde, le paprika et le piment. Enduisez-en la viande, couvrez avec du film alimentaire et mettez au frais pendant 4 heures au moins, 24 heures si vous le pouvez.

2 Pour préparer la **sauce Santa Maria**, chauffez l'huile dans une poêle, ajoutez l'oignon et l'ail et faites fondre doucement pendant 3 à 4 minutes. Ajoutez les autres ingrédients, portez à ébullition et faites mijoter doucement, en tournant de temps en temps jusqu'à réduction (environ 300 ml). Mixez la préparation de façon à obtenir une purée. Laissez reposer, couvrez et placez au réfrigérateur.

3 Lisez attentivement les instructions d'utilisation des copeaux de bois pour la cuisson. Saisissez vos steaks directement, à allure moyenne pendant 5 minutes en les retournant une fois. Puis faites-les cuire indirectement, à allure moyenne, 8 à 10 minutes pour une viande bleue, 10 à 13 minutes pour une cuisson à point et 13 à 15 minutes si vous la préférez bien cuite, en la retournant une fois à mi-cuisson. Laissez-la reposer 5 minutes dans un plat avant de la découper en lamelles. Garnissez-en vos sandwichs et arrosez-les de sauce. Servez tiède.

Épis à croquer

Gaz	Indirect/Moyen	
Charbon	Indirect	✳
Temps de préparation	10 min + 30 min de trempage	
Temps de cuisson	20-30 min	4 pers.

4 épis de maïs avec leurs feuilles
120 g de beurre, ramolli

1 Plongez les épis de maïs avec leurs feuilles dans un grand volume d'eau froide pendant 30 minutes.

2 Sortez-les pour les égoutter. Pelez les épis délicatement sans retirer complètement les feuilles mais en retirant les filandres. Badigeonnez le maïs de beurre et renveloppez l'épi. Nouez-le avec un fil de coton pour l'enfermer.

3 Disposez les épis sur la grille de cuisson et faites-les griller au barbecue indirectement, à allure moyenne pendant 20 à 30 minutes jusqu'à ce qu'ils soient tendres.

Maïs sauce épicée

2 oignons, hachés
2 gousses d'ail écrasées
4 cuillères à soupe de jus de citron vert
2 cuillères à soupe de mélasse foncée
2 cuillères à soupe de sauce de soja
2 cuillères à soupe de gingembre frais, haché
2 piments forts, égrainés et hachés
½ cuillère à café de cannelle moulue
¼ cuillère à café de poivre
¼ cuillère à café de noix de muscade moulue
6 épis de maïs, sans feuilles

Mettez tous les ingrédients (sauf les épis) dans le bol d'un robot et mixez jusqu'à ce que le contenu soit haché finement. Disposez les épis de maïs dans une grande feuille de papier aluminium et enduisez-les de sauce épicée. Enveloppez les épis dans l'aluminium et faites-les cuire au barbecue indirectement pendant 15 à 20 minutes jusqu'à ce qu'ils soient tendres.

Maïs au piment et à la coriandre

120 g de beurre, ramolli
1 piment rouge, égrainé et haché finement
1 cuillère à soupe de coriandre fraîche, hachée

Battez le beurre ramolli avec la coriandre et le piment. Enduisez les épis de ce beurre en procédant comme pour la première recette d'épis de maïs.

Veillez à ne pas « déshabiller » complètement votre épi. Pelez-le comme une banane, et enduisez-le de beurre à l'aide d'une fourchette ou d'une cuillère.

Les feuilles vont aider à maintenir le beurre sur l'épi, mais si vous ne nouez pas leurs extrémités elles risquent de se défaire lorsque le beurre fondra.

Astuce

Si vos épis de maïs ne possèdent pas suffisamment de feuilles, retirez-les entièrement et remplacez-les par une feuille de papier aluminium. Faites cuire au barbecue en suivant la recette ci-contre.

Le fait de ficeler l'épaule de porc (enrobée préalablement de votre préparation), permet à la viande de ne pas se détacher et de garder tout son moelleux.

Épaule de porc grillée
sauce au vinaigre épicée

Gaz	Indirect/Moyen	✻ ✻
Charbon	Indirect	
Temps de préparation	5 min	
Temps de cuisson	2-3 heures	8 pers.

2 cuillères à soupe de paprika

1 cuillère à soupe de sucre roux

1 cuillère à soupe de piment en poudre

1 cuillère à soupe de cumin moulu

1 cuillère à soupe de sucre semoule

1½ cuillère à café de poivre noir, moulu grossièrement

2 cuillères à café de sel

2 kg d'épaule de porc désossée

16 pains à hamburgers ou 16 petits pains croustillants

chou vert à la mayonnaise ou autre accompagnement

Sauce au vinaigre épicée
175 ml de vinaigre de cidre

175 ml de vinaigre de vin blanc

2 cuillères à soupe de sucre semoule

½ cuillère à café de piment en poudre

½ à 1 cuillère à café de sauce Tabasco

sel et poivre noir fraîchement moulu

1 Prenez un petit bol dans lequel vous allez mélanger le paprika, le sucre roux, le piment en poudre, le cumin, le sucre semoule, le poivre noir, et le sel. Enrobez l'épaule de porc de cette préparation en pressant bien la viande sur toute sa surface. Roulez à nouveau la viande dans la préparation en l'attachant à intervalles réguliers avec de la ficelle.

2 Disposez l'épaule sur la grille de cuisson et faites-la cuire au barbecue indirectement, à allure moyenne pendant 2½ à 3 heures. Retournez-la régulièrement en poursuivant la cuisson jusqu'à ce que la viande soit bien tendre. Puis sortez-la, couvrez-la et laissez-la reposer pendant 10 minutes.

3 Pendant ce temps, préparez la **sauce au vinaigre**. Pour cela, prenez une poêle dans laquelle vous ajouterez les vinaigres de vin et de cidre, le sucre semoule, les flocons de piment, et la sauce Tabasco. Portez à ébullition, puis faites mijoter une dizaine de minutes jusqu'à réduction d'un tiers. Assaisonnez et réservez au chaud.

4 Hâchez la viande ou détachez-la en morceaux à l'aide de deux fourchettes. Mélangez-la avec la sauce au vinaigre, dans un grand bol. Garnissez-en les pains pour hamburgers ou les petits pains croustillants, après les avoir agrémentés au préalable de chou vert à la mayonnaise, ou de tout autre accompagnement de votre choix.

Travers de porc « Kansas »
sauce barbecue

Gaz	Indirect/Moyen	✷ ✷
Charbon	Indirect	
Temps de préparation	5 min + 2 h de macération	
Temps de cuisson	1-1½ heure	6 pers.

Mélange d'épices relevé

3 cuillères à soupe de sel marin

2 cuillères à soupe de paprika

1 cuillère à soupe de cumin moulu

1 cuillère à soupe d'origan séché

2 cuillères à café de sel aux oignons

1 cuillère à café d'ail séché

1 cuillère à café de poivre noir fraîchement moulu

½ cuillère à café de cannelle moulue

1,5 kg de travers de porc, en une seule pièce

Sauce barbecue Weber (voir page 140)

1 Pour préparer l'**enrobage épicé**, mélangez dans un petit bol le sel, le paprika, le cumin, l'origan, le sel aux oignons, l'ail, le poivre noir et la cannelle. Roulez la viande dans cette préparation pour bien l'enrober. Disposez les travers ainsi préparés dans un grand plat non métallique et mettez au frais pendant 2 heures.

2 Pendant ce temps, vous pouvez préparer la **sauce barbecue** Weber, en vous référant à la recette décrite page 140. Mettez la sauce de côté et réchauffez-la avant de la servir.

3 Faites cuire les travers au barbecue indirectement, à allure moyenne pendant 1 à 1½ heure. Retournez-les de temps en temps en les badigeonnant de marinade durant les 20 dernières minutes de cuisson. Posez la viande dans un plat et attendez 5 minutes avant de la découper en morceaux. Servez avec la sauce barbecue Weber chaude.

Tortillas au bœuf
avec accompagnement mexicain

Gaz	Direct/ Moyen	✷ ✷
Charbon	Direct	
Temps de préparation	20 min + 3-4 h de macération	
Temps de cuisson	10-19 min	6 pers.

175 ml de jus de citron vert (environ 6 citrons)

150 ml de bouillon de légumes

½ oignon, haché finement

1 cuillère à soupe de persil frais, haché

2 gousses d'ail, hachées finement

sel et poivre noir fraîchement moulu

700 g de rumsteak en tranches

2 poivrons rouges, égrainés et coupés en lamelles fines

1 gros oignon, coupé en lamelles fines

1 cuillère à soupe d'huile d'olive

12 tortillas de farine de 20 cm de diamètre

salsa : sauce tomate piquante aux oignons et au piment

guacamole : préparation d'avocats épicée, en accompagnement

1 Mélangez le jus de citron vert, les ⅔ du bouillon de légumes, l'oignon, le persil et l'ail dans un bol. Disposez la viande dans un plat non métallique et versez la marinade dessus. Réfrigérez pendant 3 à 4 heures, en retournant la viande de temps en temps.

2 Pendant ce temps, découpez un carré de 45 cm de côté dans du papier aluminium résistant. Disposez le poivron et l'oignon au milieu de la feuille. Arrosez d'huile d'olive et assaisonnez à votre goût. Ramenez les coins de la feuille d'aluminium et faites revenir dans le bouillon de légume restant, en petit colis séparé.

3 Sortez les tranches de rumsteak de la marinade et réservez-la. Faites cuire la viande au barbecue directement, à allure moyenne pendant 10 à 15 minutes pour une cuisson bleue, 15 à 19 minutes pour qu'elle soit à point en la retournant une fois. Badigeonnez-la de marinade de chaque côté, à mi-cuisson. Disposez le paquet en aluminium sur la grille de cuisson et faites-le cuire 12 à 14 minutes jusqu'à ce que les légumes soient tendres.

4 Retirez la viande du barbecue et laissez-la reposer 5 minutes avant de la découper en tranches fines. Préparez également les tortillas ; pour cela, enveloppez-les de papier aluminium et faites-les cuire sur la grille de cuisson 5 minutes en les retournant une fois pour que la chaleur se répartisse de façon homogène.

5 Servez les tortillas fourrées avec la viande et accompagnez de poivre, des lamelles d'oignon et de poivron, de salsa et de guacamole.

À droite : **Tortillas au bœuf.**

Le rumsteak est une viande qui supporte une cuisson bleue ou à point. Ne la faites pas trop cuire, elle risquerait de trop durcir.

Mettez les divers ingrédients dans des petits plats et laissez vos convives se servir pour garnir eux-mêmes leurs tortillas.

Légumes
et plats végétariens

Le barbecue a été longtemps exclusivement utilisé pour
la cuisson des viandes, à tel point que l'on n'imaginait pas
pouvoir cuisiner autre chose. Cet usage limité a fait place
à davantage de créativité et l'on prépare volontiers
au barbecue poissons, légumes et crustacés.
Les légumes font partie intégrante de notre équilibre
alimentaire et la cuisson au gril est certainement
une des meilleures qui soit. Simples et rapides à préparer,
ils sont un véritable plaisir des yeux et des papilles
lorsqu'ils sont servis en accompagnement d'une belle
viande ou d'un poisson simplement grillé.
Ils peuvent également faire l'objet de véritables recettes
« végétariennes », savoureuses et légères, qui raviront
vos convives et séduiront tous les goumands...

Le choix des légumes

À quelques exceptions près, les légumes se prêtent volontiers à la cuisson au barbecue. Les plus gros, comme les poivrons, ou encore les oignons, peuvent être posés directement sur la grille et manipulés simplement à l'aide de pinces. Les légumes découpés, les petits légumes et les champignons gagnent à être cuisinés sur brochettes. Ils sont ainsi plus faciles à manier. Les légumes doivent être badigeonnés d'huile d'olive, afin d'éviter qu'ils n'adhérent sur la grille. Enfin, si vous faites cuire de la viande ou du poisson mariné à côté de légumes, nous vous conseillons de faire macérer ces derniers dans la même marinade. Lors de la grillade, retournez les légumes une seule fois, à mi-cuisson.

Après quelques barbecues, l'expérience aidant, vous connaîtrez les temps de cuisson et vous cuisinerez à la perfection viandes et légumes.

les légumes qui conviennent en grillade

Les temps de cuisson indiqués dans les recettes permettent d'obtenir des légumes légèrement croquants. Si vous les préférez plus tendres, il suffit de poursuivre la cuisson quelques minutes.

■ **Asperges.** Pelez-les de la pointe vers la base et supprimez la partie dure de la tige. Roulez généreusement les pointes d'asperges dans de l'huile d'olive, saupoudrez-les de sel. Faites cuire directement au barbecue, à allure moyenne pendant 5 à 6 minutes, en les retournant de temps en temps, jusqu'à l'apparition des marques de cuisson.

■ **Aubergines.** Ôtez les extrémités et découpez l'aubergine en tranches épaisses ou en carrés. Découpez les petites aubergines en deux. Huilez et assaisonnez la chair pour ensuite la faire griller directement, à allure moyenne pendant 10 à 15 minutes.

■ **Épis de maïs.** Étalez du beurre sur le maïs puis attachez avec du fil de coton les extrémités des feuilles autour des épis. Disposez-les sur la grille de cuisson et faites-les cuire indirectement, à allure moyenne pendant 20 à 30 minutes jusqu'à ce qu'ils soient tendres.

■ **Courgettes.** Ôtez les extrémités et découpez les courgettes dans le sens de la longueur. Huilez et assaisonnez pour les griller directement, à allure moyenne pendant 8 à 15 minutes, jusqu'à ce qu'elles soient tendres.

■ **Fenouil.** Ôtez les tiges dures et découpez le bulbe en quatre ou cinq quartiers. Puis huilez-les, assaisonnez-les et faites-les griller directement, à allure moyenne pendant 12 à 15 minutes, jusqu'à ce qu'ils soient tendres.

■ **Ail.** Vous pouvez alterner les morceaux d'ail sur des brochettes ou faire cuire des gousses coupées en deux directement sur le barbecue pendant 8 à 10 minutes. Les gousses entières peuvent être rôties dans du papier aluminium pour être grillées indirectement, à allure moyenne pendant 45 à 50 minutes, ou jusqu'à ce qu'elles soient très fondantes.

■ **Poireaux.** Utilisez les petits spécimens ou ceux de taille moyenne pour ce type de cuisson. Ôtez les racines et coupez l'extrémité des feuilles vertes. Épluchez-les et coupez-les en deux dans la longueur afin de les laver soigneusement et de les égoutter sur du papier absorbant. Faites-les cuire directement, à allure moyenne pendant 12 à 15 minutes, en les retournant une fois jusqu'à ce qu'ils soient tendres. Si vous les utilisez entiers, procédez de même pour les faire cuire de 14 à 16 minutes.

■ **Champignons.** Coupez et jetez les pieds. Huilez et assaisonnez les « chapeaux » puis faites les cuire directement, à allure moyenne pendant 8 à 10 minutes, en fonction de leur taille, jusqu'à ce qu'ils soient tendres. Les petits champignons se manipuleront plus facilement sur des piques à brochettes.

■ **Oignons.** Coupez les oignons en deux, sans les éplucher et enduisez la chair d'huile d'olive. Faites-les cuire directement, à allure forte pendant 10 à 12 minutes, la chair sur la grille. Fermez les ventilateurs partiellement pour réduire le feu sur le charbon. Avec le gaz, réduisez à feu doux. Laissez griller jusqu'à caramélisation durant 35 à 40 minutes. Vous pouvez également les peler et les faire cuire comme les gousses d'ail entières.

■ **Poivrons.** Coupez-les en quartiers ou en moitiés, en ôtant les graines. Huilez-les et faites-les griller directement, à allure moyenne pendant 6 à 8 minutes selon leur taille, en les retournant une fois. Vous pouvez également les faire rôtir entiers en les badigeonnant légèrement d'huile d'olive pour les faire cuire indirectement, à allure moyenne de 15 à 20 minutes, jusqu'à ce qu'ils brunissent et que la peau se détache. Laissez refroidir et ôtez la peau avant de les couper, selon les indications de la recette.

■ **Pommes de terre.** Faites d'abord cuire les pommes de terre (petites ou nouvelles) à l'eau. Puis huilez-les pour les faire griller directement jusqu'à ce qu'elles soient croustillantes. Si elles sont plus grosses (ou s'il s'agit de patates douces ou d'ignames), coupez-les en tranches, huilez-les pour les faire griller de 10 à 12 minutes directement, à allure moyenne. Les grosses pommes de terre entières seront enveloppées dans de l'aluminium et cuites indirectement, à allure moyenne de 50 minutes à 1 heure.

■ **Tomates.** Coupez-les en deux pour les faire cuire directement, à allure moyenne, la face coupée sur la grille, de 6 à 8 minutes jusqu'à ce qu'elles soient mœlleuses.

les brochettes de légumes

Beaucoup de légumes peuvent être cuisinés sur brochettes mais tous ne requièrent pas les mêmes temps de cuisson. Vous pouvez par exemple utiliser des poivrons pour parfumer vos brochettes de viande et de volaille. Découpés au même format, les légumes et morceaux de bœuf ou de poulet, cuiront en harmonie.

Légumes adaptés à la cuisson sur brochettes

■ Champignons de Paris ■ Poivrons, coupés en dés ■ Oignons, coupés en morceaux ■ Courgettes, en rondelles épaisses ■ Pommes de terre nouvelles, précuites ■ Petits poireaux, coupés dans la longueur ■ Petites aubergines, coupées en deux ■ Petits artichauts, précuits et coupés en deux ■ Tomates cerises, piquées et grillées rapidement.

Les champignons absorbent énormément les liquides, aussi veillez à badigeonner d'huile les ingrédients piqués sur les brochettes.

Brochettes de chèvre frais
aux champignons et sauce épicée

Gaz	Indirect/Moyen	✴ ✴
Charbon	Indirect	
Temps de préparation	45 min	
Temps de cuisson	10 min	4 pers.

12 petites pommes de terre nouvelles

2 gousses d'ail

375 g de fromage de chèvre frais

8 champignons de Paris

8 feuilles de laurier

huile pour badigeonner

sel et poivre noir fraîchement moulu

Sauce épicée

5 cuillères à soupe d'huile de sésame

1 piment rouge, égrainé et haché

1 gousse d'ail, écrasée

1 cuillère à soupe de harissa

6 cuillères à soupe de bouillon de légumes chaud

2 cuillères à café de sucre roux

3 cuillères à café de sauce de soja

1 cuillère à soupe de jus de citron vert

1 Mettez les pommes de terre dans une casserole d'eau, portez à ébullition puis laissez chauffer de 15 à 20 minutes jusqu'à ce qu'elles soient bien cuites. Égouttez et laissez complètement refroidir.

2 Coupez les deux gousses d'ail en fines lamelles. Aidez-vous d'un couteau pointu pour inciser les pommes de terre et insérer les lamelles d'ail à l'intérieur.

3 Coupez le fromage en douze morceaux assez larges. Alternez les aliments sur quatre brochettes en commençant par les petites pommes de terre aillées puis le fromage, le laurier et les champignons. Badigeonnez-les d'huile et assaisonnez (voir photo ci-dessus). Réservez.

4 Pour la **sauce**, faites chauffer l'huile de sésame dans une petite poêle, ajoutez le piment et faites cuire pendant 1 minute. Incorporez en battant dans le beurre chaud, l'ail, la harissa, le bouillon de légumes, le sucre, la sauce de soja et le jus de citron. Maintenez chaud.

5 Faites cuire les brochettes au barbecue indirectement, à allure moyenne, pendant 10 minutes. Retournez-les une fois à mi-cuisson et attendez que les légumes soient tendres et que le fromage prenne un joli ton doré. Placez les brochettes sur les assiettes et arrosez de sauce épicée bien chaude.

Salade d'asperges grillées au feu de bois
au parmesan

Gaz	Direct/Moyen	✳
Charbon	Direct	
Temps de préparation	15 min	
Temps de cuisson	5-6 min	4 pers.

24 asperges

huile pour badigeonner

75 g de feuilles de roquette

1 bouquet de basilic frais, haché

3 cuillères à soupe d'huile d'olive

2 cuillères à soupe de vinaigre balsamique

sel et poivre noir fraîchement moulu

175 g de parmesan, en copeaux

1 Préparez les asperges en suivant les indications de la p.118. Badigeonnez-les d'huile et faites-les griller sur la grille de cuisson du barbecue directement, à allure moyenne, pendant 5 à 6 minutes. Retournez-les une fois à mi-cuisson et laissez cuire jusqu'à obtenir les marbrures dues au gril. Laissez refroidir puis découpez en morceaux.

2 Mélangez dans un saladier les feuilles de salade, le basilic haché et les asperges. Préparez à part une petite vinaigrette en mélangeant l'huile d'olive, le vinaigre balsamique, le sel et le poivre.

3 Juste avant de servir, assaisonnez la salade avec la vinaigrette et parsemez-la de copeaux de parmesan.

À gauche : **salade d'asperges grillées au feu de bois.**

Croquettes aux pois chiches
à la mayonnaise et aux petits oignons

Gaz	Direct/Moyen	✳✳
Charbon	Direct	
Temps de préparation	30 min + réfrigération	
Temps de cuisson	10 -12 min	4 pers.

400 g de pois chiches en boîte, rincés et égouttés

115 g de pignons de pin

5 cuillères à soupe d'huile d'olive

1 petit oignon, haché finement

1 gousse d'ail, écrasée

1 carotte, râpée

2 cuillères à soupe de persil frais, haché

1 cuillère à soupe de purée de tomate

1 cuillère à soupe de moutarde à l'ancienne

1 œuf, battu

sel et poivre fraîchement moulu

50 g de chapelure de pain complet

2 petits oignons, émincés finement

huile pour badigeonner

1 cuillère à soupe d'estragon frais, haché

4 cuillères à soupe de mayonnaise

1 Disposez les pois chiches dans un bol et écrasez-les grossièrement avec une fourchette. Faites frire les pignons à sec dans une poêle jusqu'à obtention d'une jolie couleur dorée puis ajoutez les pois chiches. Réservez.

2 Faites chauffer 1 cuillère à soupe d'huile d'olive dans une poêle, ajoutez l'oignon haché et l'ail, faites rissoler pendant 2 à 3 minutes. Incorporez à la préparation précédente et mélangez le tout avec la carotte râpée, le persil, la purée de tomate, la moutarde, l'œuf battu et l'assaisonnement.

3 Formez quatre croquettes avec cette préparation. Roulez-les dans la chapelure en veillant à bien la répartir sur toutes leurs faces. Mettez au frais pendant au moins 1 heure.

4 Pendant ce temps, faites chauffer le reste d'huile d'olive dans une petite poêle. Faites-y blondir les lamelles d'oignons pendant une dizaine de minutes jusqu'à ce qu'elles soient croustillantes. Égouttez-les sur du papier absorbant et réservez.

5 Badigeonnez les croquettes de tous côtés avec de l'huile. Faites-les cuire au barbecue directement, à allure moyenne pendant 10 à 12 minutes en les retournant une fois à mi-cuisson, jusqu'à ce qu'elles soient dorées. Préparez la sauce en mélangeant l'estragon à la mayonnaise. Servez chaque croquette sur une assiette, nappée de mayonnaise et saupoudrée d'oignon frit.

Poivrons grillés
au fromage de chèvre et couscous

Gaz	Direct/Moyen	☀
Charbon	Direct	
Temps de préparation	35 min	
Temps de cuisson	8 - 10 min	4 pers.

100 g de couscous à cuisson rapide
300 ml de bouillon de légumes chaud
25 g de beurre
1 cuillère à soupe de persil frais, haché
2 gousses d'ail, écrasées
16 olives noires, hachées grossièrement
sel et poivre noir fraîchement moulu
4 gros poivrons rouges
4 petites tomates
225 g de fromage de chèvre
huile d'olive pour badigeonner

1 Mettez les graines de couscous dans un bol et versez le bouillon de légumes chaud dessus. Laissez la semoule s'imprégner pendant 5 minutes jusqu'à absorption complète. Ajoutez le beurre, le persil, l'ail, les olives, assaisonnez et égrainez avec une fourchette.

2 Coupez les poivrons en deux, ôtez les graines et la partie centrale. Coupez également les tomates en deux et mettez-en une moitié dans chaque demi-poivron. À la cuillère, disposez le couscous autour des tomates.

3 Découpez le fromage de chèvre en huit tranches que vous disposerez au centre de chaque demi-poivron.

4 Badigeonnez les poivrons d'huile d'olive. Faites-les cuire au barbecue directement, à allure moyenne pendant 8 à 10 minutes. Ils doivent être tendres et légèrement brûlés. Servez avec une salade.

Sandwichs campagnards
aux légumes grillés

Gaz	Direct/Moyen	☀
Charbon	Direct	
Temps de préparation	10 min	
Temps de cuisson	10 - 13 min	4 pers.

50 ml d'huile d'olive
2 poivrons rouges, égrainés et coupés en quartiers
4 champignons moyens, en lamelles
1 aubergine, coupée en tranches de 1 cm d'épaisseur
sel et poivre noir fraîchement moulu
2 cuillères à soupe de vinaigre balsamique
115 g de mascarpone
4 ciabatas fraîches ou petits pains ronds de campagne
basilic frais pour la présentation

1 Avec un pinceau, badigeonnez d'huile d'olive les quartiers de poivrons, les champignons et les tranches d'aubergine. Faites cuire les poivrons au barbecue directement, à allure moyenne pendant 2 à 3 minutes.

2 Disposez ensuite les champignons et les aubergines à côté des poivrons et pousuivez la cuisson pendant 8 à 10 minutes. Retournez-les de temps en temps jusqu'à ce que les légumes soient tous bien cuits.

3 Placez-les dans un saladier, assaisonnez et arrosez de vinaigre balsamique. Laissez reposer.

4 Coupez les pains en deux et faites-les toaster au gril. Disposez sur une moitié une tranche de fromage et recouvrez de légumes chauds grillés ; parsemez de feuilles de basilic. Fermez les sandwichs et servez chaud.

En haut à gauche : **sandwichs campagnards.**

En haut à droite : **poivrons grillés.**

Lorsque la peau des poivrons noircit légèrement au contact de la grille, le légume prend un parfum agréable.

S'il vous reste un peu de farce, garnissez-en une ou deux autres tomates plus petites.

Tomates farcies
salsa verde

Gaz	Indirect/Moyen	☀ ☀	
Charbon	Indirect		
Temps de préparation	35 min		
Temps de cuisson	8-10 min	**6 pers.**	

400 g de haricots lingots en boîte, rincés et égouttés
1 cuillère à soupe de concentré de tomates
1 larme de Tabasco
50 g de chapelure fraîche
300 g de champignons
2 cuillères à soupe d'huile d'olive
1 oignon, finement haché
sel et poivre noir fraîchement moulu
3 cuillères à soupe de persil frais, haché
12 grosses tomates
huile pour badigeonner

Salsa verde
3 cuillères à soupe de persil frais, haché
1 cuillère à soupe de menthe fraîche, hachée
3 cuillères à soupe de câpres
1 gousse d'ail, écrasée
1 cuillère à soupe de moutarde de Dijon
le jus de ½ citron
120 ml d'huile d'olive vierge extra

1 Mettez les haricots lingots dans un bol et écrasez-les grossièrement pour les réduire en purée épaisse. Ajoutez le concentré de tomates, le Tabasco et la chapelure fraîche et mélangez.

2 Coupez les champignons en morceaux et mettez-les dans le bol d'un robot. Mixez finement afin d'obtenir une sorte de pâte. Dans une poêle, faites frire l'oignon à l'huile 6 à 7 minutes jusqu'à ce qu'il soit bien cuit. Ajoutez les champignons en remuant et continuez la cuisson environ 10 minutes. Remuez de temps en temps jusqu'à ce que le liquide s'évapore. Mélangez le tout avec la purée de haricots, assaisonnez puis incorporez le persil tout en remuant. Mettez de côté.

3 Prenez les tomates et découpez des « chapeaux ». Évider-les et jetez la pulpe. Assaisonnez les tomates puis farcissez-les avec la préparation aux champignons. Couvrez avec les chapeaux.

4 Badigeonnez les tomates d'huile d'olive et faites-les cuire au barbecue indirectement, à allure moyenne pendant 8 à 10 minutes jusqu'à ce qu'elles soient bien cuites, ainsi que la garniture.

5 Pendant que les tomates cuisent, mixez rapidement les ingrédients de la **salsa verde** pour obtenir une pâte épaisse et grumeleuse. Assaisonnez et servez avec les tomates chaudes.

Pizza
margarita

Gaz	Direct/Moyen	☀ ☀
Charbon	Direct	
Temps de préparation	40 min + repos	
Temps de cuisson	5-7 min	4 pers.

Pâte à pizza

2 cuillères à café de levure

1 cuillère à café de sucre

350 g de farine

1 cuillère à soupe de sel

200 ml d'eau chaude

1 à 2 cuillères à soupe d'huile d'olive

Garniture

2 cuillères à soupe d'huile d'olive

1 petit oignon, haché

1 gousse d'ail, écrasée

½ cuillère à café d'origan séché

600 g de pulpe de tomates fraîches, en boîte

2 cuillères à café de sucre en poudre

sel et poivre fraîchement moulu

huile d'olive pour badigeonner

225 g de mozzarella, égouttée et coupée en tranches

quelques brins de basilic

1 Préparez la **pâte à pizza** en mélangeant la levure, le sucre, la farine et le sel dans un saladier. Creusez un puits au milieu dans lequel vous verserez l'eau chaude et l'huile d'olive. Mélangez pour obtenir une pâte. Travaillez la pâte doucement sur une surface couverte de farine jusqu'à ce qu'elle soit bien homogène. Laissez-la lever dans un grand saladier propre et dans un endroit chaud afin qu'elle double de volume.

2 Pour la **garniture**, faites chauffer l'huile d'olive dans laquelle vous ferez sauter l'oignon et l'ail de 2 à 3 minutes. Ajoutez l'origan et les tomates, couvrez et laissez mijoter l'ensemble 10 minutes. Ôtez le couvercle et ajoutez le sucre, assaisonnez et laissez la préparation épaissir encore 10 minutes (non couvert).

3 Retravaillez la pâte quelques minutes. Divisez-la en deux parties pour en faire deux cercles de 25 cm de diamètre. Badigeonnez toute la surface des cercles de pâte avec de l'huile d'olive et faites-les glisser sur des plaques à pâtisserie.

Au contact de la chaleur, la mozzarella fond divinement sur la tomate. Cependant, évitez qu'elle ne brunisse.

4 Avec une pince à manche long, faites glisser les cercles de pâte côté huilé sur la grille de cuisson. Faites-les cuire directement au barbecue pendant 2 à 3 minutes jusqu'à l'apparition des marques de la grille. Retirez-les du feu en les faisant à nouveau glisser sur les plaques à pâtisserie, côté grillé sur le dessus.

5 Répartissez la sauce tomate sur les deux cercles de pâte et lissez-la uniformément avec le manche d'une cuillère, puis disposez les tranches de mozzarella sur le dessus. Badigeonnez la grille de cuisson d'huile et faites glisser à nouveau les pizzas pour les cuire au barbecue pendant 3 à 4 minutes, jusqu'à ce que le fromage fonde.

6 À la fin de la cuisson, parsemez de feuilles de basilic. Servez une demi-pizza par personne.

Astuce

Si le temps vous manque, pensez aux pâtes à pizza toutes prêtes en suivant les conseils de préparation.

Salades, sauces et condiments

Ils sont les compagnons indispensables de tout repas
au barbecue : la salade verte traditionnelle se marie
merveilleusement bien avec une viande, une volaille
ou un poisson grillé, mais d'autres associations plus inédites
méritent d'être tentées - par exemple une salade de pommes
de terre à l'aneth et aux câpres avec un steak saignant, ou
une salade aux herbes avec un poisson.

Lorsque vous préparez une salade, commencez toujours
par l'assaisonnement ; disposez-le au fond du saladier,
puis couvrez-le des feuilles de salade ou des légumes
et ne mélangez qu'au moment de servir. Oubliez les sauces
lourdes et compliquées : relevez vos mets favoris avec une
sauce au piment vert ou une sauce barbecue traditionnelle,
ou bien osez l'originalité avec la sauce raifort relevée
aux betteraves.

Salades d'accompagnement

Que vos plats principaux au barbecue soient composés de viandes, de poissons ou même de recettes plus ou moins sophistiquées, vous devez également penser aux accompagnements.

À ce titre, les salades peuvent agrémenter de façon colorée tous vos plats, d'autant plus qu'il en existe une variété considérable. Elles ont l'avantage de rafraîchir et de parfumer les mets qu'elles accompagnent, tout en apportant légèreté et vitamines. La cuisson au barbecue est le moment idéal pour créer toutes sortes de salades avec les légumes de saison, dont vous pourrez faire varier les goûts et les parfums selon l'assaisonnement choisi. Quelle que soit la dominante de vos sauces et condiments - fruitée, piquante, épicée ou crémeuse -, vos salades sauront toujours ensoleiller vos tables.

Salade de pommes de terre

à l'aneth et aux câpres

1,5 kg de grosses pommes de terre fermes
1 petit oignon, haché
4 cuillères à soupe de câpres, égouttées et hachées
4 cuillères à soupe d'aneth frais, haché
2 cuillères à soupe de crème liquide
4 cuillères à soupe de mayonnaise
sel et poivre noir fraîchement moulu

1 Lavez les pommes de terre, coupez-les en morceaux. Faites-les cuire dans l'eau bouillante salée pendant 10 à 12 minutes jusqu'à ce qu'elles soient bien tendres. Égouttez-les soigneusement et laissez-les refroidir. Disposez-les dans un grand saladier et ajoutez l'oignon, les câpres et l'aneth.

2 Mélangez la crème dans la mayonnaise et versez la préparation obtenue sur les pommes de terre. Mélangez doucement jusqu'à ce que la sauce soit bien répartie puis assaisonnez à votre goût.

Toutes les recettes sont pour 6 personnes ✳

Salade de fèves et haricots

à la feta

350 g de fèves fraîches ou surgelées
350 g de haricots verts, épluchés et coupés en deux
400 g de haricots cocos en boîte, égouttés et rincés
115 g de feta, coupée en cubes
2 gousses d'ail, hachées finement
1 échalote, hachée finement
2 cuillères à soupe de persil frais, haché
4 cuillères à soupe d'huile d'olive
1 cuillère à soupe de jus de citron
sel et poivre noir fraîchement moulu

1 Faites cuire les fèves dans de l'eau bouillante salée pendant 1 à 5 minutes jusqu'à ce qu'elles soient tendres. Égouttez-les et rincez-les sous l'eau froide, puis égouttez-les à nouveau et mettez-les dans un saladier.

2 Faites cuire les haricots verts dans de l'eau bouillante salée pendant 10 minutes, jusqu'à ce qu'ils soient tendres. Égouttez-les et rincez-les sous l'eau froide, égouttez-les bien puis mélangez-les avec les fèves.

3 Ajoutez les haricots cocos, la feta, l'ail, l'échalote et le persil. Battez l'huile avec le jus de citron puis versez sur la salade de haricots. Mélangez le tout et assaisonnez à votre goût.

En haut à gauche : **salade de fèves et haricots.**

En haut à droite : **salade de pommes de terre à l'aneth et aux câpres.**

Profitez des fruits et légumes de saison, c'est délicieux et moins cher.

Les poivrons, oignons et tomates sont les composants typiques de la cuisine parfumée de la Méditerranée.

Salade méditerranéenne
aux poivrons grillés et petits croûtons

Gaz	Direct/Moyen	☀
Charbon	Direct	
Temps de préparation	20 min	
Temps de cuisson	14-20 min	**6 pers.**

huile pour badigeonner

2 poivrons rouges

2 poivrons verts

1 botte d'oignons nouveaux, épluchés

1 petit pain blanc

8 cuillères à soupe d'huile d'olive

700 g de tomates

20 olives noires

12 filets d'anchois, égouttés et hachés

75 g de petites feuilles d'épinards lavées

2 gousses d'ail écrasées

1 cuillère à soupe de moutarde de Dijon

2 cuillères à soupe de vinaigre de vin blanc

sel et poivre noir fraîchement moulu

1 Enduisez la grille de cuisson d'huile. Faites cuire les poivrons au barbecue directement, à allure moyenne pendant 10 à 15 minutes, en les retournant de temps en temps jusqu'à ce qu'ils brunissent uniformément. Ajoutez les oignons nouveaux et continuez la cuisson pendant 4 à 5 minutes, en les retournant une fois à mi-cuisson.

2 Disposez les poivrons chauds dans un grand bol que vous couvrirez de film alimentaire pour laisser refroidir. Coupez les oignons en morceaux et mettez-les dans un saladier. Lorsque les poivrons ont refroidi, ôtez la peau et les graines. Coupez la chair en lamelles et ajoutez-les aux oignons.

3 Enlevez la croûte du pain blanc et découpez-le en cubes d'environ 2 cm de côté. Chauffez 4 cuillères à soupe d'huile dans une grande poêle. Faites revenir les cubes de pain pendant 5 à 6 minutes en les retournant de temps à autre jusqu'à ce qu'ils soient dorés uniformément. Égouttez-les sur du papier absorbant et laissez refroidir.

4 Coupez les tomates en quartiers et ajoutez-les au saladier contenant les lamelles de poivrons et les oignons. Ajoutez les olives, les filets d'anchois et les feuilles d'épinard puis mélangez l'ensemble.

5 Battez l'ail, la moutarde de Dijon, le vinaigre, assaisonnez et ajoutez le reste d'huile. Versez la vinaigrette sur la salade, parsemez de petits croûtons grillés et d'olives noires.

Salade de couscous épicé
aux petits pignons et aux raisins secs

50 g de pignons de pin

25 g de beurre

¾ cuillère à café de cumin moulu

¾ cuillère à café de cannelle moulue

¾ cuillère à café de coriandre moulue

¾ cuillère à café de poivre moulu

2 cuillères à soupe de sucre roux

450 ml de bouillon de légumes

350 g de couscous à cuisson rapide

120 g de raisins secs

3 cuillères à soupe de coriandre fraîche, hâchée

1 Faites frire les pignons dans une poêle non adhérente pendant 1 à 2 minutes jusqu'à ce qu'ils dorent. Mettez de côté.

2 Faites fondre le beurre dans une petite poêle puis ajoutez le cumin, la cannelle, la coriandre, le poivre et le sucre roux et faites cuire le tout à feu doux pendant 1 à 2 minutes. Ajoutez le bouillon de légumes et portez à ébullition. Versez la sauce sur le couscous, couvrez et laissez la graine absorber la sauce pendant 5 minutes, jusqu'à ce qu'elle gonfle et soit moelleuse.

3 À l'aide d'une fourchette égrainez le couscous puis incorporez les pignons, les raisins secs et la coriandre hachée. Assaisonnez à votre goût.

Salade de tomates
à la mozzarella et au basilic

350 g de petites tomates

350 g de tomates cerises

450 g de mozzarella, coupée en tranches épaisses

25 g de feuilles de basilic

1 cuillère à soupe de vinaigre balsamique

2 cuillères à soupe d'huile d'olive vierge extra

sel et poivre noir fraîchement moulu

1 Coupez en deux les petites tomates et 175 g de tomates cerises. Laissez le reste des tomates entières. Mettez le tout dans un grand saladier puis ajoutez la mozzarella et les feuilles de basilic. Mélangez l'ensemble.

2 Faites une vinaigrette avec le vinaigre balsamique, l'huile d'olive et l'assaisonnement. Versez sur la salade et mélangez.

Salade Waldorf

6 pommes rouges

6 branches de céleri

75 g de cerneaux de noix

240 ml de mayonnaise

2 cuillères à soupe de jus de citron

sel et poivre noir fraîchement moulu

2 endives

2 petits cœurs de laitue

1 Ôtez le cœur des pommes puis coupez-les en gros morceaux et placez-les dans un saladier. Coupez les branches de céleri en épaisses lamelles et ajoutez-les aux pommes. Incorporez les cerneaux de noix.

2 Mélangez la mayonnaise avec le jus de citron et l'assaisonnement jusqu'à obtenir un mélange homogène. Versez la préparation sur les pommes et mélangez soigneusement.

3 Effeuillez les endives et la laitue. Coupez les feuilles en deux et mélangez-les dans un saladier. Versez la préparation aux pommes dessus et mélangez délicatement.

Salade mélangée
aux herbes d'été

75 g de jeunes feuilles d'épinard

75 g de feuilles de roquette

75 g de mâche

25 g de basilic

25 g de cerfeuil

25 g de ciboulette

25 g de persil plat

1 petite gousse d'ail, écrasée

2 cuillères à soupe de jus de citron

4 cuillères à soupe d'huile d'olive vierge extra

sel et poivre noir fraîchement moulu

1 Mélangez les différentes variétés de salade et les herbes dans un saladier.

2 Dans un petit récipient, mélangez en battant à la fourchette l'ail, le jus de citron, l'huile d'olive et l'assaisonnement. Versez la vinaigrette sur la salade juste avant de servir.

À droite : **salade Waldorf.**

À gauche : **salade de couscous épicé.**

Sauces et condiments

Sauce piquante aux tomates fraîches

450 g de tomates
2 cuillères à soupe d'huile d'olive
1 échalote, hachée finement
2 gousses d'ail, hachées finement
1 cuillère à café de piment en poudre
½ cuillère à soupe de sucre en poudre
2 cuillères à soupe de coriandre fraîche, hachée
sel et poivre noir fraîchement moulu

1 Utilisez la pointe d'un couteau tranchant pour retirer les queues des tomates et faire une croix à l'autre extrémité. Plongez-les ensuite dans une casserole d'eau bouillante pendant 30 secondes. Retirez-les rapidement afin de les plonger dans l'eau froide pour stopper la cuisson. Pelez les tomates.

2 Coupez les tomates en deux pour les évider. Détaillez ensuite la pulpe en petits dés et réservez.

3 Faites frire l'ail et l'échalote dans de l'huile pendant 1 à 2 minutes. Ajoutez le piment et continuez la cuisson pendant 1 minute. Réduisez à feu doux, faites cuire encore 5 à 6 minutes jusqu'à décoloration. Incorporez les tomates et le sucre en poudre et poursuivez la cuisson 1 à 2 minutes. Retirez du feu et laissez refroidir. Incorporez la coriandre en remuant. Assaisonnez et servez froid en accompagnement des steaks, saucisses ou poissons.

Sauce asiatique

120 ml de sauce hoisin
120 ml de sauce de soja
½ cuillère à café d'huile de sésame

Mélangez les ingrédients dans une petite poêle. Portez à ébullition et retirez du feu immédiatement. Vous pouvez marier cette sauce avec le canard grillé, le poulet, le bœuf ou encore le porc. Il est possible également d'en enduire les mets que vous faites griller durant les 10 dernières minutes de cuisson. Cette préparation se conserve jusqu'à 2 semaines au réfrigérateur, dans un récipient hermétique.

Sauce raifort relevée aux betteraves

175 g de betteraves potagères cuites
175 g de raifort, râpé
1 cuillère à soupe de vinaigre de vin blanc
1 cuillère à café de sucre en poudre
sel et poivre noir fraîchement moulu

Hachez grossièrement la betterave et mettez-la dans un bol contenant le raifort râpé, le vinaigre, le sucre en poudre et l'assaisonnement. Mélangez l'ensemble et laissez reposer une trentaine de minutes afin que les saveurs se développent. Servez avec de la viande de bœuf ou du poisson.

Sauce au piment vert

1 gros piment vert
1 gousse d'ail, hachée grossièrement
le jus de 1 citron vert
15 g de coriandre fraîche, hachée grossièrement
50 ml de crème liquide
50 ml de mayonnaise
sel et poivre noir fraîchement moulu

1 Faites rôtir le piment directement, à allure moyenne pendant 3 à 4 minutes en le retournant une ou deux fois, jusqu'à ce qu'il brunisse. Laissez refroidir. Évidez-le et hachez-le grossièrement.

2 Mettez le piment dans le bol d'un robot culinaire, ajoutez l'ail, le jus de citron vert et la coriandre. Mixez pour obtenir un hachis fin. Ajoutez la crème, la mayonnaise et l'assaisonnement et mixez jusqu'à obtenir un mélange homogène. Servez avec du porc ou du poulet grillé.

Sauce barbecue Weber®

2 cuillères à soupe de beurre
3 branches de céleri
3 cuillères à soupe d'oignon haché
2 cuillères à soupe de ketchup
2 cuillères à soupe de jus de citron
2 cuillères à soupe de sucre en poudre
2 cuillères à soupe de vinaigre
1 cuillère à soupe de sauce Worcester
1 cuillère à café de moutarde
poivre noir fraîchement moulu

Faites chauffer le beurre dans une poêle et faites cuire le céleri jusqu'à ce qu'il soit tendre. Ajoutez tous les autres ingrédients. Portez à ébullition, puis baissez le feu. Couvrez et laissez mijoter pendant 15 minutes. Servez chaud.

Sauce fruitée aigre-douce

200 g d'abricots en boîte au naturel

200 g de pêches en boîte au naturel

3 cuillères à soupe de jus de citron vert

2 cuillères à soupe d'huile d'olive

1 oignon, haché finement

1 gousse d'ail, écrasée

un morceau de gingembre frais d'environ 5 cm, râpé

1 piment rouge, égrainé et hâché

50 g de sucre roux

2 cuillères à soupe de sauce de soja brune

75 ml de vinaigre de vin blanc

2 cuillères à soupe de purée de tomate

1 Égouttez les abricots et les pêches. Réservez le jus. Dans le bol d'un mixer, versez les fruits, 3 cuillères à soupe de jus des fruits et le citron vert. Mixez jusqu'à obtenir une purée onctueuse. Réservez.

2 Faites chauffer l'huile d'olive dans une grande poêle pour faire cuire l'oignon jusqu'à ce qu'il soit translucide. Ajoutez l'ail, le gingembre et le piment, et continuez la cuisson pendant 3 à 4 minutes.

3 Versez la purée de fruits dans une poêle puis le sucre, la sauce de soja, le vinaigre, la purée de tomate et la préparation à l'oignon. Mélangez l'ensemble. Faites cuire pendant 20 minutes jusqu'à une légère réduction et un épaississement. Laissez refroidir. Servez froid avec du poulet, du mouton, du porc ou encore des légumes ou des fruits de mer.

Sauce barbecue traditionnelle

1 cuillère à soupe de sel

125 g de sucre cristallisé

125 g de sucre roux doux

750 ml de bouillon de bœuf

120 ml de moutarde de Dijon

50 ml de vinaigre de vin blanc

120 ml de sauce Worcester

250 ml de purée de tomate

1 cuillère à soupe de piment en poudre

1 Mélangez tous les ingrédients de la recette dans une poêle à fond épais. Portez à ébullition et laissez mijoter à feu très doux, non couvert, pendant 1½ à 2 heures jusqu'à épaississement. Remuez souvent et ajoutez un peu d'eau si la préparation commence à réduire.

2 Badigeonnez vos mets pendant les 10 dernières minutes de cuisson. Vous pouvez également la servir en accompagnement.

Sauce raifort râpé relevée aux betteraves.

Sauce au piment vert.

Sauce piquante aux tomates fraîches.

Desserts

Les belles journées ensoleillées et les calmes soirées
fraîches réveillent notre envie de fruits de saison,
de meringues croquantes et de crèmes glacées.
Les desserts d'été au gril sont la réponse à nos désirs
de douceurs. Ainsi préparés, les fruits révèlent des parfums
nouveaux : leur chair se fait fondante, le sucre
se caramélise, dévoilant des arômes subtils et riches.
Dégustés seuls ou accompagnés de gâteaux, de glace
ou de coulis, ils vous surprendront par une saveur
différente. Laissez-vous tenter par un crumble aux cerises
et aux amandes, un vacherin aux prunes, un parfait aux
fraises ou encore un pudding aux poires et gingembre :
ils cuiront sans aucune attention pendant que vous dînez
entre amis, pour votre plus grand plaisir...

La cuisson des fruits

Pour terminer un bon repas, rien de tel qu'un dessert composé de fruits : beaucoup se prêtent à la cuisson au barbecue. Au préalable, il est important de bien nettoyer les grilles de cuisson, ensuite il vous suffira de badigeonner les fruits d'un peu d'huile sans parfum, comme l'huile d'arachide ou de tournesol. Vous pouvez également faire cuire les fruits plus longtemps afin qu'ils caramélisent avec leurs propres sucs. Les pêches et les pommes peuvent accompagner subtilement les viandes ou les poissons, mais votre succès est garanti si vous en faites de savoureux desserts. Ajoutez de la glace à la vanille ou de la crème fraîche, et goûtez avec délice ces mets sucrés à déguster... sans modération !

Quels fruits peuvent être grillés ?

■ **Abricots.** Coupez-les en deux, piquez-les sur des brochettes et faites-les griller directement côté chair sur la grille, 5 à 6 minutes.

■ **Ananas.** Ôtez les feuilles, la peau et les yeux, coupez la chair en tranches en évidant le cœur du fruit. Faites griller directement, à allure moyenne pendant 6 à 10 minutes.

■ **Bananes.** Coupez-les dans la longueur sans les peler et faites-les cuire côté fruit sur la grille, puis côté peau directement, à allure moyenne pendant 6 à 8 minutes.

■ **Figues.** Ouvrez-les en croix avec un couteau puis cuisez-les directement, à allure douce pendant 8 à 10 minutes jusqu'à ce qu'elles soient bien cuites.

■ **Fraises.** Grillez-les entières indirectement, à allure moyenne pendant 4 à 5 minutes.

■ **Mangues.** Coupez-les en tranches épaisses et faites-les cuire directement, à allure moyenne pendant 8 à 10 minutes.

■ **Papayes.** Vous pouvez les peler. Coupez-les en tranches épaisses en enlevant les graines noires, puis faites les cuire directement, à allure moyenne pendant 8 à 10 minutes.

■ **Pêches, brugnons, nectarines.** Coupez-les en deux et faites-les griller, côté coupe, directement, à allure moyenne pendant 8 à 10 minutes.

■ **Poires.** Vous pouvez les cuisiner avec ou sans peau. Coupez-les en deux ou en quartier et ôtez le cœur. Faites-les cuire, côté chair, directement à allure moyenne pendant 10 à 14 minutes.

■ **Pommes.** Coupez-les en deux et évidez-les pour les faire cuire indirectement, à allure moyenne pendant 15 à 20 minutes en les retournant une fois. Les pommes entières peuvent également être cuisinées, comme précédemment, pendant 35 à 40 minutes. Ne les pelez pas pour éviter que la chair ne se défasse.

Les brochettes de fruits

Ainsi présentés, les fruits sont plus faciles à manipuler. Utilisez de préférence des piques en bois ou en bambou, que vous ferez tremper 30 minutes dans de l'eau froide au préalable, et détaillez les fruits en morceaux de taille semblable. Badigeonnez la grille de cuisson d'huile et faites cuire les brochettes directement, à allure moyenne pendant 6 à 10 minutes, en les retournant une fois à mi-cuisson. Nappez les fruits de miel liquide et de jus de citron deux fois de chaque côté pendant le temps de cuisson.

Les petits nids de meringue se conservent facilement 3 ou 4 jours dans un récipient hermétique. Cela vous permet de préparer votre dessert à l'avance.

Le glaçage réalisé avec le miel permet de parfumer les fruits mais également d'adoucir la chair pendant la cuisson sur le gril.

Vacherins
aux prunes sucrées

Gaz	Indirect/Moyen	✳ ✳
Charbon	Indirect	
Temps de préparation	2 heures	
Temps de cuisson	5-6 min	6 pers.

4 blancs d'œufs

1 pincée de sel

225 g de sucre en poudre

2 cuillères à soupe de Maïzena

1 cuillère à café de vinaigre de vin blanc

250 g de mascarpone

300 ml de crème épaisse

2 cuillères à soupe de sucre glace

9 prunes mûres

1 cuillère à soupe de miel liquide

1 Préchauffez votre four à 180°C. Graissez légèrement deux plaques de cuisson et appliquez une feuille de papier sulfurisé sur chacun des plateaux. Réservez.

2 Dans un bol, montez les blancs en neige avec le sel jusqu'à ce qu'ils forment des becs homogènes. Incorporez le sucre peu à peu jusqu'à obtenir une belle meringue brillante. Battez le tout avec la Maïzena et le vinaigre. Disposez une grosse cuillerée de meringue sur une des plaques de cuisson ; creusez-la avec le dos de la cuillère pour créer une sorte de nid. Répétez six fois l'opération en séparant bien chaque meringue. Mettez au four pendant 5 minutes, puis réduisez le feu à 150°C et poursuivez la cuisson pendant 75 minutes. Laissez refroidir sur les plaques.

3 Pendant ce temps, battez le fromage dans un bol jusqu'à ce qu'il soit homogène. Dans un autre récipient, battez la moitié de la crème avec le sucre glace jusqu'à ce qu'elle forme des becs. Incorporez le mascarpone battu et le reste de la crème. Couvrez et mettez au frais.

4 Plongez six piques de bambou dans de l'eau froide pendant 30 minutes. Coupez les prunes en deux et ôtez les noyaux. Piquez trois oreillons par brochette, en recoupant les piques, si nécessaire. Nappez les prunes de miel liquide. Faites-les cuire au barbecue indirectement, à allure moyenne pendant 5 à 6 minutes jusqu'à ce qu'elles soient fondantes.

5 Détachez les meringues des plaques de cuisson et disposez une bonne cuillerée du mélange au mascarpone sur chacune d'elles. Servez avec une brochette chaude de prunes au miel grillées.

Ananas au poivre vert
au caramel d'orange

Gaz	Direct/Moyen	✳ ✳
Charbon	Direct	
Temps de préparation	5 min	
Temps de cuisson	6-7 min	4 pers.

**1 cuillère à soupe de poivre vert en grains marinés,
égouttés et hachés grossièrement**
4 tranches épaisses d'ananas frais
2 cuillères à soupe de sucre en poudre

Caramel à l'orange
125 g de sucre cristallisé
le zeste et le jus de 1 orange
50 ml de crème liquide
glace à la vanille, en accompagnement

1 Enrobez chaque face des tranches d'ananas de poivre vert.
Saupoudrez de sucre un côté de chacune des tranches.

2 Disposez les tranches d'ananas, côté sucre sur la grille
de cuisson. Faites-les cuire au barbecue directement, à allure
moyenne pendant 6 à 7 minutes, jusqu'à ce qu'elles brunissent.

3 Pendant ce temps, préparez le caramel. Prenez une petite
poêle dans laquelle vous allez faire fondre tout doucement
le sucre cristallisé et le zeste d'orange, à l'aide de 2 cuillères
à soupe d'eau froide. Puis portez à ébullition pendant 4 à
5 minutes jusqu'à ce que le caramel blondisse. Retirez du feu
et incorporez, en mélangeant, le jus d'orange et la crème liquide.
Remettez l'ensemble à feu doux en remuant jusqu'à obtenir un
mélange homogène.

4 Disposez les tranches d'ananas dans des assiettes à dessert
et versez le caramel chaud sur les fruits. Servez aussitôt avec
de la glace à la vanille.

Figues grillées
à l'espagnole

Gaz	Direct/Doux	✳ ✳
Charbon	Direct	
Temps de préparation	20 min	
Temps de cuisson	6-8 min	**6 pers.**

1 gousse de vanille
115 g de fromage de chèvre frais
300 ml de crème épaisse
2 cuillères à soupe de sucre en poudre
12 figues fraîches
50 g de chocolat noir

1 Avec la pointe d'un couteau, ouvrez la gousse de vanille et ôtez les graines. Mettez-les dans un bol avec le fromage de chèvre et battez bien l'ensemble. Dans un autre récipient, fouettez la crème et le sucre jusqu'à obtenir des becs puis incorporez délicatement la préparation au fromage de chèvre. Mettez au réfrigérateur.

2 À l'aide d'un couteau pointu, ouvrez les figues en croix, comme pour obtenir une fleur.

3 Concassez le chocolat en pépites et garnissez-en l'intérieur de chaque figue. Puis faites cuire les fruits au barbecue directement, à allure douce pendant 6 à 8 minutes, jusqu'à ce que le chocolat fonde et que les figues soient tendres.

4 Servez deux figues par personne, en déposant au centre des fruits une cuillerée de crème fouettée au chèvre vanillé.

La pulpe des bananes absorbera
le jus d'orange pendant la cuisson.

Répartissez régulièrement le caramel
sur les moitiés de banane afin d'obtenir
une cuisson uniforme.

Bananes caramélisées
parfumées de noix de coco et d'orange

Gaz	Direct/moyen	☀
Charbon	Direct	
Temps de préparation	30 min	
Temps de cuisson	5 min	6 pers.

huile pour badigeonner

7 cuillères à soupe de sucre en poudre

2 cuillères à soupe de noix de coco déshydratée

le zeste et le jus de 1 orange

300 ml de crème épaisse

2 cuillères à soupe de rhum

6 grosses bananes

1 Badigeonnez une plaque de cuisson d'un peu d'huile et réservez. Dans une poêle, versez 2 cuillères à soupe d'eau froide et 6 cuillères à soupe de sucre en poudre. Faites fondre le sucre doucement puis portez à ébullition pendant 6 à 8 minutes jusqu'à obtenir un caramel blond. Retirez du feu et incorporez, en mélangeant, les 3⁄4 du zeste d'orange et la noix de coco.

2 Versez le caramel sur la plaque enduite d'huile. Lorsqu'il a durci, cassez-le pour le mixer grossièrement dans le bol d'un robot. Réservez.

3 Fouettez la crème avec le reste du sucre en poudre et le rhum jusqu'à obtenir des becs. Mettez au réfrigérateur.

4 Coupez les bananes dans le sens de la longueur, sans les peler. Pressez l'orange au-dessus de chaque moitié de fruit puis saupoudrez de caramel à la noix de coco. Faites cuire au barbecue, côté peau sur la grille de cuisson, directement à allure moyenne pendant 5 minutes. Quand le caramel est devenu liquide et joliment coloré, servez aussitôt accompagné de crème fouettée au rhum et décorez votre plat avec le reste du zeste d'orange.

Astuce

Vous pouvez préparer votre caramel à la noix de coco à l'avance, mais vous devrez le conserver dans un récipient hermétique et l'utiliser dans la journée.

Pêches en papillotes
garnies de biscuits et d'amandes

Gaz	Indirect/Fort	☀
Charbon	Indirect	
Temps de préparation	20 min	
Temps de cuisson	15 min	**6 pers.**

120 g de biscuits secs
75 g d'amandes effilées
50 g de cassonade
75 g de beurre, coupé en cubes
le zeste râpé et le jus de 1 citron
1 gros jaune d'œuf, battu
6 pêches mûres
glace à la vanille, en accompagnement

1 Écrasez grossièrement les biscuits et mettez-les dans un grand bol. Ajoutez les amandes, la cassonade, le beurre et le zeste de citron. Travaillez les ingrédients du bout des doigts jusqu'à obtenir une chapelure grossière. Ajoutez le jaune d'œuf et battez énergiquement jusqu'à ce que l'ensemble commence à s'amalgamer.

2 Coupez les pêches en deux en enlevant les noyaux. Plongez chaque oreillon dans le jus de citron. Répartissez la garniture dans les cavités en pressant légèrement dessus.

3 Prenez six carrés de papier aluminium très épais, d'environ 20 cm de côté. Placez deux oreillons de pêche fourrés sur chaque carré. Ramenez les bords du papier aluminium vers le haut et scellez-les en les froissant. Faites cuire au barbecue indirectement, à allure forte pendant 15 minutes, jusqu'à ce que les pêches soient cuites et que la garniture crépite. Servez chaud avec de la glace à la vanille.

Petits ramequins de cerises
au crumble d'amande

Gaz	Indirect/Moyen	☀ ☀
Charbon	Indirect	
Temps de préparation	35 min	
Temps de cuisson	20 min	**6 pers.**

700 g de cerises fraîches ou
2 boîtes de 400 g de cerises au sirop
2 cuillères à soupe de kirsch
le zeste râpé de 1 orange
crème fraîche, en accompagnement

Crumble
200 g de farine
50 g de sucre en poudre
150 g de beurre, coupé en cubes
75 g d'amandes effilées
150 g de cassonade

1 Dénoyautez les cerises fraîches. Disposez-les dans une jatte et versez le kirsch dessus. Ajoutez le zeste d'orange et mélangez l'ensemble. Procédez de la même façon pour les cerises en boîtes en prenant soin de bien égoutter le sirop. Réservez.

2 Pour réaliser votre crumble, versez la farine et le sucre en poudre dans une jatte avec le beurre. Travaillez du bout des doigts jusqu'à obtenir une chapelure grossière puis ajoutez, en mélangeant, les amandes et la cassonade.

3 Répartissez les cerises dans six grands ramequins allant au four ou dans une tourtière. Disposez le crumble au-dessus. Rangez-les sur la grille de cuisson et faites cuire au barbecue indirectement, à allure moyenne pendant 20 minutes, jusqu'à ce que le crumble dore et fasse des petites bulles. Laissez un peu refroidir avant de servir avec de la crème fraîche.

Pour réaliser ce dessert, des pêches fraîches sont recommandées. Néanmoins, les fruits en bocaux ou en boîtes pourront convenir, ils seront moins parfumés mais resteront délicieux.

En haut, à gauche : **pêches en papillotes.**

En haut, à droite : **petits ramequins de cerises au crumble d'amande.**

Poire sucrée
et petits puddings

Gaz	Indirect/Moyen	✹ ✹
Charbon	Indirect	
Temps de préparation	20 min	
Temps de cuisson	18-20 min	4 pers.

1 poire mûre
75 g de beurre + 1 noisette pour les moules
130 g de sucre roux
50 g de farine + 1 cuillère à café pour les moules
¼ cuillère à café de bicarbonate de soude
½ cuillère à café de gingembre moulu
½ cuillère à café de cannelle moulue
1 grosse pincée de noix de muscade
50 ml de miel
1 gros œuf, battu
glace à la vanille, en accompagnement

1 Pelez la poire, coupez-la en quartiers. Évidez-la et détaillez-la en petits cubes. Répartissez-les dans quatre moules individuels à bords hauts, beurrés et farinés. Mettez 50 g de beurre dans une poêle avec le sucre et faites cuire à feu doux jusqu'à ce que le beurre fonde et se mélange. Versez le mélange obtenu sur les cubes de poires.

2 Tamisez la farine, le bicarbonate de soude, le gingembre moulu, la cannelle et la noix de muscade au-dessus d'une feuille de papier sulfurisé. Réservez.

3 Faites fondre le reste de beurre, retirez du feu et mélangez au miel. Laissez refroidir quelques minutes puis battez le mélange avec l'œuf. Incorporez à la préparation les ingrédients tamisés en les battant.

4 Répartissez la pâte dans les moules. Placez-les ensuite sur la grille de cuisson et faites-les cuire sur le barbecue indirectement, à allure moyenne pendant 18 à 20 minutes jusqu'à ce qu'ils dorent.

5 Laissez les puddings refroidir un peu avant de les démouler. Servez tiède avec des boules de glace à la vanille.

Astuce

Vous pouvez préparer ces petits puddings à l'avance et les recouvrir de film alimentaire. Vous les ferez cuire pendant que vous et vos convives apprécierez le plat principal.

Sundae fraise
à la vanille

Gaz	Indirect/Moyen	✹
Charbon	Indirect	
Temps de préparation	20 min	
Temps de cuisson	6 min	4 pers.

900 g de fraises
4 cuillères à soupe de sucre glace
3 cuillères à soupe de vinaigre balsamique
150 g de crème épaisse
3 cuillères à soupe de cacahuètes pilées
glace à la vanille

1 Mettez la moitié des fraises, 2 cuillères à soupe de sucre glace et le vinaigre balsamique dans le bol d'un robot. Mixez pour obtenir un coulis onctueux. Mettez au réfrigérateur.

2 Fouettez la crème épaisse avec 1 cuillère à soupe de sucre glace jusqu'à former des becs. Faites griller les cacahuètes sur le gril préchauffé jusqu'à ce qu'elles brunissent. Laissez refroidir.

3 Piquez le reste des fraises sur deux ou trois brochettes, afin de faciliter leur manipulation. Saupoudrez-les du sucre glace restant. Faites-les cuire au barbecue indirectement, à allure moyenne pendant 6 minutes. Retournez-les une fois à mi-cuisson, jusqu'à ce qu'elles soient cuites et marquées.

4 Prenez quatre coupes et déposez un peu de coulis dans le fond. Recouvrez de deux boules de glace à la vanille. Répartissez les fraises dans chaque coupe et gardez-en quatre pour la décoration. Nappez de crème fouettée et garnissez avec les fraises entières réservées et les cacahuètes grillées.

À droite : **sundae fraise à la vanille.**

index

Remerciements

Les éditeurs et Weber souhaitent remercier pour leur précieuse collaboration, les personnes suivantes :
Debby Nakos ; Jeff Stephen ; Edna Schlosser ;
Marsha Capen ; Susan Radcliffe ; Susan Maruyama ;
Gareth Jenkins ; Sonia Cauvin.